RÉFLEXIONS
DU
COMÉDIEN

LOUIS JOUVET

RÉFLEXIONS DU COMÉDIEN

LIBRAIRIE THÉATRALE

3, rue de Marivaux

PARIS IIe

14, rue de l'Échiquier

PARIS X^e

Un certain nombre des pages qui constituent ce volume avaient été antérieurement publiées en un recueil par les soins des Éditions de la Nouvelle Revue Critique (Paris 1938. Collection : « *Choses et Gens de Théâtre* », dirigée par M. Maurice Martin du Gard).

Le présent ouvrage a été revu, remanié et complété par l'Auteur, en Amérique du Sud, en octobre et novembre 1941.

TABLE DES CHAPITRES

Avant-Propos

Avant-propos

Assouvir, évacuer ses penchants et ses énergies pour les communiquer à ses semblables, se décharger publiquement de passions feintes ou en puissance, témoigner les sentiments d'un autre en les vivant physiquement et pour son compte dans une constante tromperie de soi-même où la sincérité va jusqu'à perdre son nom, proférer ou déclamer ce qu'on n'aurait pas pensé, ressentir parfois ce que jamais l'on n'éprouvera, se dérober continuellement à ses propres émotions, troquer à chaque saison son soi contre un moi nouveau, voilà la vie de ce monstre échappé à Buffon qu'on appelle le Comédien. Atteint de toutes les maladies morales de l'imagination, affligé d'un mal redoutable appelé mimétisme, cet homme anormal ne saurait sans immodestie prétendre au rang de penseur, de critique et de moraliste et rien ne justifie le titre du livre qu'il intitule Réflexions.

Les réflexions que peut faire un acteur tra-

duisent des états physiques ; c'est leur infériorité mais c'est peut-être aussi leur vertu.

Ce qu'un acteur peut dire sur les auteurs dramatiques, s'exprime d'abord par la pression sanguine ou l'état nerveux, le trouble animal qu'il contracte à vivre les personnages. C'est d'abord sa façon de penser. Il n'est que sensibilité aveugle, un enchevêtrement mécanique de sentiments et de gestes où les sécrétions de son cerveau deviennent nécessairement une sorte de cambouis lubrifiant pour son action sur la scène. Ce n'est pas de la pensée et c'est pourtant une façon de penser.

Mais alors, dira-t-on, pourquoi faites-vous des livres? Pourquoi nous parlez-vous de Becque, de Hugo, de Beaumarchais, puisque vous vous flattez si glorieusement de votre impotence d'esprit?... Et pourquoi vous souciez-vous de parler de la poésie? Traduisez-la, vivez-en pour vous fortifier... Pourquoi vous occuper de la Société des Auteurs?

Ces pages ne sont, en somme, qu'un livre factice, composé de conférences et de causeries, réponses à des questions que l'on m'a posées. Je n'en tire aucune gloire et l'ironie ou la gouaille que j'y trouve aujourd'hui traduisent mal mes sentiments. C'est une façon d'être que l'on gagne en devenant professionnel ; la pudeur et la tendresse s'inversent dans des propos derrière lesquels on se cache, et l'irritation que provoque la curiosité déplacée ou

*l'ingérence persistante des profanes donnent par-
fois à la conversation un ton de persiflage ou de
moquerie involontaire mais qui vous délivre.*

*Car le théâtre souffre et serait mort, s'il était
possible, de tous ceux qui ne lui appartenant pas
n'ont cessé depuis toujours de disposer de lui, en
voulant le servir avec un zèle maladroit et importun.
Et pourquoi parmi tant de capitaines d'habillement
et d'arpenteurs en retraite, parmi tant de charmants
archivistes ou de commis en écriture, tant de calicots
ou de penseurs en loisir, amoureux du théâtre, un
comédien ne pourrait-il à bon escient s'exprimer
sur un métier qui est le sien et avoir à ce sujet des
opinions qu'on reconnaîtrait valables?*

*Marionnette animée par l'auteur, automate
conscient et prestigieux agissant sur le public,
pourquoi ne tirerait-on pas quelque originalité des
points de vue particuliers ou même élémentaires
qu'un comédien peut avoir sur le théâtre? Puisque
tout ce qu'on a écrit sur le théâtre, à part quelques
auteurs de génie parmi lesquels Shakespeare et
Molière, n'a jamais été écrit que par des gens dont
on n'est même pas assuré qu'ils fussent seulement
de bons spectateurs.*

*Beaumarchais, Victor Hugo et Henri Becque
sont depuis longtemps juchés par l'opinion et la
critique dans un olympe où mes paroles ne peuvent
plus les atteindre. Et si l'on voit mal l'affection*

que je leur porte, c'est que les reproches que je leur
fais de ne pouvoir les aimer mieux sont plus appa-
rents que mes louanges. Ils n'en ont que faire. Ce
n'est pas une appréciation de leur valeur et j'ai
parlé non en critique mais en praticien. Je l'avoue,
ils ne sont pas de ces auteurs auxquels je pense
avec tendresse ou avec amour. A cause de cette
mystérieuse affinité d'auteur à acteur, de chef à
disciple, de maître à serviteur, que notre profession
exige, peut-être ne m'auraient-ils pas choisi non
plus comme interprète pour les servir.

L'étude attentive de leur vie et de leurs œuvres,
que j'ai faite en toute bonne foi et sans esprit de
dénigrement, ne m'a pas rendu plus affectueux.
Je m'en excuse auprès de ceux qui les aiment parfaits et intangibles. J'espère un jour pouvoir sur
d'autres auteurs écrire sous cette dictée intérieure
où une reconnaissance sans mélange s'exprimera
sans restriction.

Mais pour le comédien une pièce est une sorte
d'épreuve sportive. Les personnages qu'il joue, les
conversations qu'il a sur scène, les actions qu'il y
commet sont sa manière de fréquenter l'auteur, sa
seule façon de le connaître, même s'il a par surcroît la faveur de déjeuner ou de dîner parfois avec
lui. Une pièce est une aventure dans laquelle l'acteur
se trouve embarqué, un jeu qui tourne au sérieux
et qui lui devient nécessaire. Et le rôle, ruisseau

ou torrent de sentiments, s'écoule à travers lui en effondrant les poches ou les réservoirs de sa sensibilité propre.

La situation dramatique, — cet état où le personnage se trouve soudain placé dans l'action qui se joue, ce moment où les événements l'entourent et l'assaillent, l'obligeant à se débattre par des paroles, ces faits, ces péripéties qui l'encerclent et où il réagit par un texte, — la situation dramatique n'est plus à ce moment une formule ou une façon de dire.

L'acteur ne se compare à aucun de ceux qui peuvent apprécier ou juger. Il éprouve l'œuvre, il la ressent, elle le submerge à la fois et elle le transporte.

Ce service qu'il accomplit pour le compte de l'auteur, sa participation à une œuvre de théâtre entre celui qui l'élabore et la sécrète et ceux qui la consomment des yeux et du cœur, donnent à l'acteur un point de vue neuf et particulier pour en parler. Un acteur juge réellement une œuvre dramatique avec sa sensibilité et sa personne physique — non avec son esprit.

C'est la seule excuse de ses propos.

Rio de Janeiro, 5 novembre 1941.

ou torrent de sentiments, s'écoule à travers lui en effondrant les poches ou les réservoirs de sa sensibilité propre.

La situation dramatique, — cet état où le personnage se trouve soudain placé dans l'action qui se joue, ce moment où les événements l'entourent et l'assaillent, l'obligeant à se débattre par des paroles, ces faits, ces péripéties qui l'encerclent et où il réagit par un texte, — la situation dramatique n'est plus à ce moment une formule ou une façon de dire.

L'acteur ne se compare à aucun de ceux qui peuvent apprécier ou juger. Il éprouve l'œuvre, il la ressent, elle le submerge à la fois et elle le transporte.

Ce service qu'il accomplit pour le compte de l'auteur, sa participation à une œuvre de théâtre entre celui qui l'élabore et la sécrète et ceux qui la consomment des yeux et du cœur, donnent à l'acteur un point de vue neuf et particulier pour en parler. Un acteur juge réellement une œuvre dramatique avec sa sensibilité et sa personne physique — non avec son esprit.

C'est la seule excuse de ses propos.

Rio de Janeiro, 5 novembre 1941.

Iᴱᴿᴱ PARTIE

BEAUMARCHAIS VU PAR

UN COMÉDIEN

Je n'ai qu'un métier ; je n'ai été et je ne suis qu'un homme de théâtre. Je tiens à ne pas donner à ceux qui font profession d'écrire prétexte à m'accuser de concurrence, c'est-à-dire d'incursion importune dans le domaine de la critique littéraire, d'autant que je reconnais bien volontiers n'avoir pas à juger au delà de mon métier. C'est uniquement de ce biais que je considère la littérature dramatique. Je vais donc essayer de vous conter aussi fidèlement que mes souvenirs me le permettront l'histoire de mes rapports avec Beaumarchais.

J'espère que le parti-pris qui est le fond de ma nature — et qui me semble légitime, car on ne peut vivre sans prendre position — ne me fera pas tenir une fois encore pour médisant ou calomniateur.

Beaumarchais est célèbre par deux œuvres connues du public, toujours représentées, et qui ont les mêmes personnages, *Le Barbier de Séville* et *Le Mariage de Figaro*.

Dans une autre pièce, *La Mère Coupable*, Beaumarchais a utilisé encore ces personnages.

Mais, Figaro, Suzanne, Rosine et le Comte Almaviva, sur la fin de leur vie, comme l'était Beaumarchais lui-même, ont perdu leur jeunesse et
leur verve.

La Mère Coupable est une pièce oubliée.
Oubliées aussi deux autres pièces écrites au début
de sa carrière, Eugénie ou La Vertu au Désespoir,
Les Deux Amis ou Le Négociant de Lyon. Oubliée
encore une tentative d'opéra, Tarare que, dans
son amour du sous-titre, Beaumarchais appelait
Le Libre-Arbitre ou Le Pouvoir de la Vertu, et que,
par la bouche du neveu de Rameau, Diderot
nommait plus insolemment et plus véridiquement
peut-être, Tarare pom pom.

Telle est l'œuvre dramatique de Beaumarchais. Une réputation exceptionnelle pour six
pièces dont quatre sont aujourd'hui hors d'usage,
six pièces espacées sur trente-deux années. Sou-
dainement on pense à Molière.

On pense à Molière qui en vingt ans a écrit
trente-deux pièces et les a représentées chaque
soir.

D'où vient cette différence? On cherche malgré soit à expliquer cette disproportion. Elle
frappe l'esprit, elle étonne.

Si l'on se réfère à ceux que leur fonction
dévoue aux recherches et aux théories dramatiques, un autre étonnement s'ajoute à celui-là :
l'œuvre de Beaumarchais n'a pas suscité leur

curiosité, elle n'a pas eu de spécialistes, et l'étonnement prend forme d'énigme.

Contrairement à Molière, dont toute l'œuvre se trouve commentée, injectée de gloses qui veulent pénétrer ses intentions ou ses volontés, découvrir ses conceptions, révéler les sources et les emprunts qu'il a faits, dont la vie intime même se reflète, croit-on, en chacun de ses personnages, dont chaque pièce est greffée, croit-on, sur une anecdote, bâtie sur un portrait ou sur des événements contemporains, contrairement à Molière dis-je, Beaumarchais échappe indemne des mains de la critique.

Dans les soixante-cinq années de sa vie, Beaumarchais, auteur de génie, n'a produit que deux chefs-d'œuvre, tandis que Molière, pour une vie plus brève en a laissé dix fois plus.

D'où vient cette différence? D'où vient cette nouvelle dissemblance?

Ma première rencontre avec Beaumarchais date de ma douzième année environ. Beaumarchais était un auteur dont je ne situais pas très bien le nom. Je me souviens d'avoir acheté clandestinement pour la modique somme de soixante-quinze centimes, une brochure illustrée du *Barbier de Séville* et du *Mariage de Figaro*. Enfermé dans ma chambre, à demi assuré sur l'audace de cette lecture qui me paraissait cependant défendable parce qu'elle se présentait sous le couvert d'une collection classique, je lus l'une et l'autre pièce avec avidité et il me reste de cette première impression le souvenir confus de personnages galants et poudrederizés, assez semblables à ceux dont certains camarades m'avaient rapporté à mi-voix les exploits durant les récréations, et dont ils avaient fait connaissance dans un roman parfaitement interdit dans les collèges, qui s'intitulait « *Le Parc aux Cerfs de Louis XV* ».

Il ne se peut pas, si vous avez été au collège, que vous n'ayez entendu parler de cet ouvrage classé par le Vatican aussi bien que par la Bibliothèque Nationale dans ces lieux qu'ils appellent indifféremment l'un et l'autre l'Enfer.

J'évoque assez bien, à distance, l'étrange et voluptueux émoi que me procura cet androgyne, ce délicieux Chérubin dont Beaumarchais efface le sexe par le moyen traditionnel et théâtral du travesti, ce personnage au nom gracieusement céleste, si troublant pour le cœur et l'esprit des autres adolescents par le rayonnement mystérieux de sa nature, et que la représentation devait me préciser d'une façon plus savante encore, lorsque je vis plus tard, sous les traits de ce jeune garçon, les actrices les plus fémininement séduisantes.

J'évoque assez bien encore dans cet arsenal de rubans, de bonnets de nuit de femme, de tendres billets doux, de guitares, de jarretières de mariée, de romances, de filles déguisées en garçon, d'épingles à cheveux, de cols et de bras nus, de mantilles et de bergères décoiffées, mêlés à *l'odor di femina*, ce parfum lourd de boudoir fleurant l'iris et la violette qui porte si fort aux narines de l'adolescence — tout cet attirail et ce mobilier de la volupté qui conduisent cet âge à la contemplation méditative et sournoise de gravures dites licencieuses qui ornent en général le cabinet ou la bibliothèque d'un oncle énigmatique et célibataire.

Et *Les Liaisons dangereuses*, et *Les Confessions* de Jean-Jacques Rousseau, cet autre adolescent voleur de rubans, et la lecture bien plus clandestine encore de certaines œuvres de Crébillon fils, me firent inconsciemment placer les pièces de Beaumarchais dans la littérature galante.

Quelque temps plus tard, en classe de troisième, on me fit faire connaissance d'un autre Beaumarchais. Notre professeur, un charmant homme, qui avait été le collègue du poète Verlaine, au collège de Rethel dans les Ardennes, me parlait à la fois avec compassion de Verlaine, et avec une passion immodérée d'Augustin Caron de Beaumarchais. Il nous lisait et relisait à tout propos le célèbre monologue de *Figaro*, au cinquième acte du *Mariage de Figaro* :

« O femme! femme! femme! créature faible
et décevante! nul animal créé ne peut manquer
à son instinct: le tien est-il donc de tromper? »
s'écriait-il tantôt avec un accent d'amertume,
tantôt avec un petit rire grivois.

Alors, Beaumarchais, de par les explications
en usage dans l'université à cette époque, devint
en outre pour moi le responsable de la Révolution
Française et l'auteur des immortels principes de
1789. Mais je compris en même temps que la
beauté de son œuvre résidait surtout dans l'écriture et qu'il appartenait à la grande lignée et à
la vraie tradition dramatique pour avoir su faire
parler ses personnages.

Ce cours de littérature me permit aussi de
situer historiquement Beaumarchais, comme suc-
cesseur de Voltaire (*Zaïre*, tragédie de Voltaire,
fut écrite l'année de la naissance de Beaumarchais, en 1732) comme un lecteur attentif et passionné de *Manon Lescaut*, comme le contempo-
rain de Diderot, de Marivaux, de d'Alembert, de
Rivarol, de Florian, et de l'Encyclopédie.

A l'époque où Beaumarchais se mit à écrire,
la tragédie avait fait son temps. Les auteurs
dramatiques cherchaient un genre nouveau avec
la comédie larmoyante de Diderot. On s'essayait
à peindre ce qu'on appelait des « conditions ».

Et quoique les pièces de cette époque aient
été fort nombreuses, il en est peu qui soient par-

venues jusqu'à nous. Ces pièces écrites pour la
bourgeoisie, mais gâtées par une sensiblerie fade
et déclamatoire, allaient devenir, quelques lustres
plus tard, des mélodrames populaires.

Jean-Jacques Rousseau avait eu une grande
influence sur le théâtre français. Il incitait (lui !),
dans son *Emile*, les mères à assister au spectacle
avec leur nourrisson dans les bras, et engageait
par surcroît les comédiens à répondre à cet auditoire en poussant leur sensibilité jusqu'aux larmes.

C'est pourquoi les premières pièces de Beaumarchais furent des *tragédies bourgeoises*, des
comédies dramatiques, où il ne réussit pas très bien,
déclarons-le tout de suite, car il n'était pas un
sensible. Peut-être est-ce parce que cette sensibilité lui faisait défaut qu'il chercha un genre
original et qu'il détourna le spectateur du besoin
de pleurer avant même que le rideau ne se lève.

Ma troisième accointance avec Beaumarchais,
ce fut en tant qu'élève et apprenti comédien.
Beaumarchais fut alors dépouillé de tout cet
entourage encyclopédique, voltairien ou révolutionnaire.

Je lus, relus et appris par cœur le *Mariage*,
le *Barbier*, et je fis connaissance avec son *Eugénie* où le souci de mise en scène et la trouvaille
des intermèdes — cette action qui se poursuit
en mimique pendant les entr'actes — m'appa-
rurent d'un fort habile dramaturge.

Entre jeunes débutants, pour le plaisir d'apprendre des tirades qui devaient nous permettre de passer de brillantes auditions, nous nous exercions sur les monologues — la fameuse tirade du God-dam — les scènes de bravoure de Rosine ou de Suzanne, et je m'étonnais qu'on eût tant de peine à faire vivre des personnages aussi célèbres.

Pourquoi le décor, la perruque poudrée et les accessoires faisaient-ils si grand défaut? Je ne me l'expliquais pas encore très bien et je préférais alors, avec une obstination qui s'est, depuis, éclairée en moi, les personnages de Racine, ou même — cet âge a mauvais goût — ceux de Victor Hugo.

Plus tard, au Théâtre du Vieux-Colombier, nous montions *Le Mariage de Figaro*. J'étais régisseur, c'est-à-dire chargé de l'organisation de la représentation. Je dus me plonger corps et âme dans Beaumarchais.

Copeau, qui admire Beaumarchais sans réserve, me trouvait tiède. Je convenais pourtant que c'était une œuvre exquise. La mise en scène néanmoins ne m'a laissé que le souvenir des gravures de l'époque. Le travail que je dus faire me fit passer en revue — d'une façon pratique et d'une manière corporelle — tous les innombrables accessoires qui avaient illustré mes lectures : bouquets de fleurs et rubans, pince monseigneur, miroirs, coiffeuses, tabourets, toise, robe de femme, feuille de musique, tabatières, mouchoir, éventail, lit complet avec baldaquin et rideaux à embrasses, pouf de satin rose, tambour à broder, clefs, flacons de sels, boîtes à mouches, taffetas gommé, ciseaux, pot de giroflées, loup de dentelle, lanternes de papier, sonneries de cor de chasse, plumes d'oie, dossiers, bésicles et écritoires, billet avec épingle, guirlandes de fleurs sur fonds de tapisserie, et couronnant le tout, au cinquième acte, un décor avec deux kiosques ou temples de jardin sous des frondaisons de marronniers. Rien ne me fut épargné.

Et je compris aussi la virtuosité avec laquelle Beaumarchais sait faire surgir, agir et réagir, apparaître et disparaître ses personnages et l'étonnante, la prestigieuse magie avec laquelle il noue et dénoue les intrigues et les imbroglios les plus compliqués. Dans cet art où les moyens d'expression dépassent le besoin d'exprimer, je compris que trop de métier nuit et, comme dit Montaigne, que « l'archer qui outrepasse le but fault comme celui qui n'y atteint point ».

Ces souvenirs sont malgré tout éclairés pour moi des feux de bengale de cet esprit léger qui nous faisait vivre dans une atmosphère de comédie italienne. Pendant les représentations (je jouais le personnage de Brid'oison) une sorte de pétillement amoureux débordait de la scène jusque dans les coulisses, laissant le théâtre dans une atmosphère de gaîté et de bal masqué.

Je passe sur des expériences particulières comme celles de représentations à l'étranger où Beaumarchais est tenu pour l'auteur français par excellence, et j'arrive tout de suite à cette grande expérience révélatrice que fut ma rencontre de Beaumarchais au Conservatoire. Je n'avais plus le droit de me laisser aller à des impressions personnelles. Dans cette sorte de laboratoire qu'est une classe de jeunes comédiens, il n'est pas difficile, par les auditions si variées et si diverses de textes, d'éprouver fortement et de conclure que le texte de Beaumarchais est un véritable texte classique.

Mais, et c'est ici ma première restriction, ce texte n'est pas fait pour tous les acteurs indifféremment.

Il n'y a qu'un moyen d'éprouver ou de contrôler la nature d'un comédien, c'est de lui confier un grand rôle. Lorsqu'on lui impose Hamlet, Alceste ou Tartuffe, quels que soient ses dons, l'élève a une façon particulière d'exproprier, ou de s'approprier le personnage. En lui faisant représenter un héros, on pratique sur l'élève une sorte d'exorcisme qui permet de le classer. Il n'a encore aucune des qualités suffisantes pour jouer Hamlet, Alceste ou Tartuffe, mais la manière dont il réagit dans ces rôles permet de déceler celles qu'il possède et d'orienter sa vocation. Avec Beaumarchais, ceci est très particulier et peut-être unique : cette expérience est inefficace et ce contrôle sans valeur, car l'humanité des personnages de Beaumarchais ne concerne pas l'acteur ; il s'agit avant tout, ici, d'une question de ton et de physique. L'élève a ou n'a pas le ton et le physique du personnage.

Hamlet est un personnage parfaitement humain, parce que complexe, parce que trouble. Chaque élève peut apporter dans ce rôle sa sensibilité propre, il trouvera toujours de quoi la sustenter, la nourrir.

Rien de semblable avec les héros de Beaumarchais ; si l'élève n'est pas *rigoureusement* le personnage, c'est sans espoir. L'auteur lui-même s'en rendait compte, car il a pris soin, dans l'énoncé de ses distributions, de décrire minutieusement chacun de ses personnages.

Le vrai héros de théâtre est un être trouble, compliqué et contradictoire — c'est - à - dire, humain — mais quels que soient les commentateurs, les psychologues, les critiques qui l'étudient ou les acteurs eux-mêmes qui le représentent, il reste intact et impénétrable. Accablé de gloses, rongé par les exégètes, miné par les analystes, torturé par les comédiens, le héros de théâtre, quel que soit le style ou l'habit qu'on lui donne, l'aspect moral qu'on lui prête, la lumière dont on le baigne, l'angle visuel sous lequel on veut le présenter, quels que soient les ornements dont on le surcharge ou le dépossède, le héros, à travers les époques et les sociétés, à travers les siècles, reste vivant, perpétuellement énigmatique, indéfiniment adaptable, immortel.

Or, dans ce sens, les personnages de Beaumarchais ne sont pas des héros de théâtre.

Il serait aisé de disséquer un personnage comme celui de Basile du *Barbier de Séville*, pour montrer l'indigence dramatique de ce sinistre baladeur dont l'essentiel se résume en son couplet sur la calomnie, sorte de morceau de bravoure, dans le style du *bel canto* italien et que le comédien cherche en vain à animer par des mines excessives et par un costume généralement trop pittoresque. Ce personnage reste inexprimé et toute sa valeur humaine réside dans le morceau littéraire qu'il déclame. Il appartient à l'opéra.

J'ai joué Brid'oison du *Mariage de Figaro* et je n'en dirai pas de mal. Mais c'est un rôle dont l'humanité s'exprime vestimentairement et par ce que la médecine appelle une névrose de la parole, c'est le bégayeur des farces italiennes. Molière, avec Macroton, le médecin bégayeur de *L'Amour médecin*, a fait un type infiniment plus vivant et plus convaincant. J'en parle par expérience, ayant habité chez ces deux personnages.

Lorsqu'on joue un personnage de Molière, on est nourri par lui. On peut jouer un personnage de Beaumarchais sans subir moralement d'augmentation de poids.

Il serait malséant de faire de l'esprit quand on parle de Beaumarchais, aussi est-ce sans malice que je dirai que le premier métier de l'auteur du *Mariage de Figaro* a certainement influencé son métier d'auteur dramatique : « L'horloger Augustin Caron a fait faire à Beaumarchais des personnages d'horlogerie ».

J'ai pour Beaumarchais une admiration très grande mais aucune tendresse car je n'ai jamais pu avoir avec lui aucune intimité. Si je voulais définir ici la mise en scène, je dirais que le point de départ du travail du régisseur est dans cette accointance affectueuse avec les pensées ou les sentiments secrets du poète ou de l'auteur. C'est dans le recueillement de son intimité que l'on trouve l'explication et le sens de son œuvre. Si la vie d'un écrivain n'a jamais expliqué son œuvre, s'il est vain de chercher à déceler celle-là dans celle-ci, l'homme qui tient une plume — et c'est l'emblème de Figaro — contracte par son œuvre une sorte d'hypothèque sur sa vie privée, laquelle témoigne de l'authenticité de ses vertus et de sa vocation professionnelles. Il m'est impossible, dramatiquement, devant les pièces de Beaumarchais, d'ignorer quelle fut son existence. Et je ne trouve en elle aucun témoignage de ces vertus et de cette vocation.

Il m'est nécessaire d'aimer tendrement les auteurs que je sers ou que j'interprète. J'ai de la tendresse pour Molière, pour Gœthe, pour Shakespeare, pour Marivaux et pour Musset, pour Claudel et Giraudoux ; je n'en ai aucune pour Beaumarchais. Que ce soit dans l'interprétation de ses personnages ou dans sa vie privée, Beaumarchais ne saurait en susciter en moi.

Singulière prétention, direz-vous, de la part d'un exécutant qui se hausse jusqu'au rôle de juge. J'en fais l'aveu publiquement et sans pudeur, car c'est l'explication de mes propos.

Et pour justifier cette rétivité qui n'exclut pas l'admiration et qui n'entamera pas, j'espère, celle que vous pouvez lui porter, je résumerai la vie de Pierre-Augustin Caron de Beaumarchais.

A peine a-t-on parcouru les premières années de cette vie que l'on est saisi, étonné de l'extraordinaire vitalité du personnage, de l'avidité de ses passions, de la multiplicité de ses ambitions, de son goût de plaire, de réussir, de l'appétit qu'il a pour l'argent et le succès, on aperçoit tout de suite, servi par des dons remarquables, un pouvoir de séduction, une agilité d'esprit exceptionnelle, un homme éminemment adaptable, disponible, accessible et d'une merveilleuse diver-

un pâ...dié? .... as ce que c'est !

Le mariage de Figaro, acte III, scène de l'audience (1784)
d'après une gravure du temps.

(Photo Harlingue.)

(Bibliothèque Nationale, cabinet des Estampes.)

sité dans toutes les situations où on le rencontre. Beaumarchais est le dieu Protée.

Horloger, musicien, homme de cour, chansonnier, homme de plaisir, fonctionnaire, dramaturge, homme d'affaires, financier, auteur comique, émissaire secret, manufacturier, spéculateur, armateur, éditeur, munitionnaire, publiciste, négociateur, tribun, diplomate, philanthrope, éternellement plaideur, éternellement amoureux, il vit tout à la fois et mène tout en même temps. On n'en finirait pas de citer ses aptitudes ou ses activités. Essayer de résumer sa vie est impossible ; on ne peut qu'énumérer ses entreprises ou ses projets, du moins ceux qui ont laissé des traces.

Né sans fortune et riche à millions, trois fois ruiné, vivant dans le succès ou l'adversité, il agit, écrit, voyage, complote, combat, confère, rédige, expose, plaide et conteste, perpétuellement chargé de projets, toujours prêt à intriguer, à se dévouer, toujours prêt à servir l'intérêt général et le bien public, et à y confondre astucieusement et naïvement le sien.

Voici, écrit par lui-même, un premier résumé de sa vie :

« Dès ma folle jeunesse, j'ai joué de tous les instruments : mais je n'appartenais à aucun corps de musiciens ; les gens de l'art me détestaient ».

« J'ai inventé quelques bonnes machines ;

mais je n'étais pas du corps des mécaniciens, l'on y disait du mal de moi ».

« Je faisais des vers, des chansons ; mais qui m'eût reconnu pour poète? J'étais le fils d'un horloger ».

« N'aimant pas le jeu du loto, j'ai fait des pièces de théâtre, mais on disait : « De quoi se » mêle-t-il? Ce n'est pas un auteur, car il fait » d'immenses affaires et des entreprises sans nom- » bre ».

« Faute de rencontrer qui voulût me défen- dre, j'ai imprimé de grands mémoires pour gagner des procès qu'on m'avait intentés, et que l'on peut nommer atroces ; mais on disait : « Vous » voyez bien que ce ne sont pas là des factums » comme les font nos avocats. Il n'est pas ennuyeux » à périr ; souffrira-t-on qu'un pareil homme » prouve sans nous qu'il a raison? *Inde irae !* »

« J'ai traité avec les ministres de grands points de réformation dont nos finances avaient besoin ; mais on disait : « De quoi se mêle-t-il? Cet homme n'est point financier. »

« Luttant contre tous les pouvoirs, j'ai relevé l'art de l'imprimerie française par les superbes éditions de Voltaire, entreprise regardée comme au-dessus des forces d'un particulier ; mais je n'étais point imprimeur, on a dit le diable de moi. J'ai fait battre à la fois les maillets de trois ou quatre papeteries sans être manufacturier ; j'ai

eu les fabricants et les marchands pour adver-
saires.

» J'ai fait le haut commerce dans les quatre
parties du monde, mais je n'étais point déclaré
négociant. J'ai eu quarante navires à la fois sur
la mer, mais je n'étais point armateur ; on m'a
dénigré dans nos ports.

» Un vaisseau de guerre à moi, de 52 canons,
a eu l'honneur de combattre en ligne avec ceux
de Sa Majesté à la prise de la Grenade. Malgré
l'orgueil maritime, on a donné la croix au capitaine de mon vaisseau, à mes autres officiers des
récompenses militaires et moi, qu'on regardait
comme un intrus, j'y ai gagné de perdre ma flo-
tille, que ce vaisseau convoyait.

» Et cependant, de tous les Français quels
qu'ils soient, je suis celui qui aie fait le plus pour
la liberté de l'Amérique, génératrice de la nôtre,
dont, seul, j'osai former le plan et commencer
l'exécution malgré l'Angleterre, l'Espagne et la
France même ; mais je n'étais point classé parmi
les négociateurs, mais j'étais étranger aux bureaux
des ministres, *inde irae*.

» Lassé de voir nos habitations alignées et
nos jardins sans poésie, j'ai bâti une maison qu'on
cite ; mais je n'appartiens point aux arts, *inde irae*.

» Qu'étais-je donc? Je n'étais rien que moi,
et moi tel que je suis resté, libre au milieu des fers,
serein dans les plus grands dangers, faisant tête

à tous les orages, menant les affaires d'une main
et la guerre de l'autre, paresseux comme un âne
et travaillant toujours, en butte à mille calom-
nies, mais heureux dans mon intérieur, n'ayant
jamais été d'aucune coterie, ni littéraire, ni politique, ni mystique, n'ayant fait de cour à personne, et partant repoussé de tous. »

Vous sentez sans doute la mélancolie qui
se dégage de ces aveux dont le ton fait penser
au fameux monologue de Figaro.

C'est le 24 janvier 1732 que naquit le fils
de l'horloger Caron, dans une boutique de la
rue Saint-Denis toute voisine de cette maison
du Pilier des Halles où l'on disait que naquit
Molière, et proche aussi de la boutique d'un marchand de soieries où devait naître beaucoup plus
tard Eugène Scribe, un de ses successeurs et de
ses disciples.

Le père de Pierre-Augustin n'était nullement
un homme vulgaire. Horloger, comme le père de
J.-J. Rousseau, ancien protestant, il était très
instruit dans les sciences aussi bien que dans la
littérature.

Doté déjà de trois filles, après Pierre-Augustin
il en eut deux autres encore, et l'on peut imaginer

ce que fut l'enfance de ce garçon unique, gamin de Paris, entouré par cinq sœurs qui l'adoraient. La seconde fille Caron fut la fiancée de Clavijo. La quatrième, Marie-Julie, de deux ans plus jeune que son frère, l'aima tendrement, travailla pour lui, avec lui, et fut seule connue dans le monde sous ce nom de Beaumarchais que Pierre-Augustin Caron devait prendre à vingt-cinq ans.

Au sein de cette famille charmante, le jeune Caron grandit jusqu'à l'âge d'entrer au collège d'où il devait sortir à treize ans pour devenir apprenti horloger chez son père.

Dans cette boutique de la rue Saint-Denis, on lisait, on faisait de la musique. Augustin Caron s'en donnait à cœur joie, sans toutefois négliger son métier, puisqu'à dix-neuf ans il découvrit le secret d'un nouvel échappement pour les montres qui lui permit (bien que Lepaute, célèbre horloger de l'époque, tentât de lui dérober son invention), de prendre bientôt le titre d'horloger du roi et d'entrer à la Cour.

« Dès que Beaumarchais parut à Versailles, écrit son ami intime Gudin, les femmes furent frappées de sa haute stature, de sa taille svelte et bien prise, de la régularité de ses traits, de son teint vif et animé, de son regard assuré, de cet air dominant qui semblait l'élever au-dessus de tout ce qui l'environnait, et enfin de cette ardeur involontaire qui s'allumait en lui à leur aspect ».

Ce tempérament fougueux est un des princi-
paux traits de la personnalité de Beaumarchais.
Parlant de *La Mère coupable*, sa dernière œuvre,
il écrit dans la préface :

« Je l'ai composée avec la tête froide d'un
homme et le cœur brûlant d'une femme, comme
on a dit que J.-J. Rousseau écrivait ».

Pour la tête froide, je n'en doute point,
mais pour le cœur brûlant, il faudrait savoir
ce qu'il entendait exactement par le cœur —
je crains qu'il n'y ait là une confusion organique
dont Beaumarchais lui-même a toujours été dupe.
Dans ses amours, comme dans ses ouvrages, toute
sa vie, jusqu'à ses derniers jours, il brûlera ces
étapes charmantes de la sensibilité ou de la senti-
mentalité, dans lesquelles Marivaux s'est attardé
si heureusement pour notre profit.

Voici donc notre horloger à la Cour. Il reçoit
du roi commande d'une montre pour Mme de Pompadour. Entre temps, il répare la montre de
Mme Francquet, femme d'un contrôleur de la
bouche de la Maison du roi. Puis, ayant fait connaissance du mari de la dame, il lui offre de racheter
sa charge moyennant une rente viagère. L'affaire
conclue, Pierre Caron, l'épée au côté, précède
la viande de Sa Majesté. Deux mois plus tard,
une attaque d'apoplexie fait disparaître le vieillard Francquet. Il n'a pas eu le temps de recevoir paiement du fils Caron. Onze mois plus tard,

la veuve Pierre-Augustin Francquet devient
Mme Pierre-Augustin Caron. Il prend alors le
nom de Beaumarchais, du nom d'un boqueteau
que possède sa jeune femme. Et celle-ci, qui
n'avait que six ans de plus que lui... meurt d'une
fièvre typhoïde.

Pierre-Augustin Caron de Beaumarchais continue maintenant à cultiver la musique, chantant
avec goût, jouant avec talent de la flûte et de la
harpe. Il perfectionne même ce dernier instru-
ment par un système de pédales et sa réputation
lui permet bientôt de devenir professeur des
dames de France — ces filles royales que Louis XV
appelait dans l'intimité : Coche, Loque, Graille
et Chiffe. Loque, alias Mme Adélaïde, jouait de
tous les instruments, y compris le cor et la guim-
barde.

Cette rapide ascension ne va pas sans susciter
des ennemis à Beaumarchais. Il est contraint de
se battre en duel et tue fort proprement son adver-
saire...

Il fait alors la connaissance d'un des quatre
frères Paris, les célèbres financiers : Paris-Duverney, lequel avait aidé Voltaire à se faire
130.000 livres de rente.

Paris-Duverney, sur les instances de Mme de
Pompadour, avait fait construire l'École Mili-
taire par le célèbre architecte Gabriel. Cela avait
pris neuf ans, mais la Pompadour n'était plus

en faveur et Paris-Duverney n'arrivait pas à obtenir de la nonchalance de Louis XV une visite qui aurait consacré son œuvre. Il s'adressa alors au maître de harpe des dames de France et Beaumarchais réussit ce que Duverney désirait depuis si longtemps : les filles du roi d'abord, Louis XV ensuite, vinrent honorer ces bâtiments.

La reconnaissance du financier établit la fortune de Beaumarchais. Il lui prêta 500.000 livres pour acheter la charge de lieutenant général des chasses aux bailliage et capitainerie de la Varenne du Louvre qui anoblit définitivement Beaumarchais en l'intronisant comme juge à robe longue dans la jurisprudence pour braconnage et maraudage.

Ici se place — en 1764 — l'histoire de Clavijo et du voyage en Espagne. Deux des sœurs de Beaumarchais, dont l'une était mariée, avaient été s'établir à Madrid. Un littérateur, nommé Clavijo, était tombé amoureux de la cadette et lui avait promis le mariage : les bans publiés, Clavijo avait refusé de tenir sa promesse. Beaumarchais part pour Madrid en justicier et réconcilie Clavijo avec sa sœur. Mais la réconciliation n'est qu'apparente. Clavijo, par un habile travail souterrain, obtient la promesse d'arrestation et d'expulsion de Beaumarchais. Celui-ci l'apprend ; sans perdre de temps, il va jusqu'au roi, se justifie, et, faisant destituer Clavijo de sa place de garde des Archives, se venge en le faisant chasser de la Cour. Beaumarchais fera dans ses mémoires un récit étourdissant d'humour de cette aventure. Et Gœthe, un peu plus tard, en tirera une pièce qu'il intitule *Clavigo*.

L'incident Clavijo ne dura qu'un mois, mais Beaumarchais resta un an en Espagne. Il tenta d'obtenir la concession exclusive du commerce en Louisiane — il avait formé le dessein de fournir des nègres à toutes les possessions espagnoles, des vivres à toutes les troupes du roi et même de coloniser la Sierra Morena. Rien de tout cela ne réussit, mais il eut beaucoup de succès dans le Madrid mondain.

Il a trente-cinq ans quand il rentre à Paris. Nous sommes en 1767 ; il va aborder la carrière littéraire.

« Entrer dans une carrière neuve et y prendre un essor étendu ». Cette phrase, qui pourrait être une devise, est de lui.

Persuadé que son génie le destinait au genre dramatique sérieux, il en expose les principes dans la préface de son drame *Eugénie* ou *La Vertu au désespoir*. Ce sont, en somme, les théories de Diderot. Sans soupçonner à quoi sera due son immortalité, il professe que la comédie est immorale. Et sans se douter, non plus, que la Révolution française est si proche, il s'exclame en réaction contre la tragédie classique : « Que me font à moi, sujet paisible d'un état monarchique du XVIIIᵉ siècle, les révolutions d'Athènes et de Rome?... »

Encore que supérieure par certains points aux pièces de Diderot, *Eugénie* est aujourd'hui injouable, mais on y trouve déjà cette facilité vive et limpide qui caractérise le talent de Beaumarchais.

Le drame fut représenté le 29 janvier 1767. Fort bien joué, il n'eut qu'un succès relatif.

Grimm fut impitoyable et la critique fort peu indulgente pour ces délassements d'homme de cour. Cependant, représentée à Drury Lane par le célèbre Garrick, *Eugénie*, sous le titre de *L'Ecole des Roués*, eut beaucoup de succès à Londres.

Comme il se doit pour les enfants mal venus, *Eugénie* est l'œuvre que Beaumarchais préférait.

La seconde pièce de Beaumarchais : *Les Deux Amis*, fut un insuccès parfait. C'était une pièce sur le commerce ; elle n'intéressa point le public.

En voici le résumé par un échotier du temps :
« J'ai vu de Beaumarchais le drame ridicule
Et je vais en un mot vous dire ce que c'est.
  C'est un change où l'argent circule
  Sans produire aucun intérêt. »
Et un des spectateurs du parterre s'écria :

« C'est une banqueroute, j'y suis de mes vingt sous ! ».

La pièce traîna péniblement jusqu'à la dixième représentation.

1769. Nous sommes à l'époque où naît en Corse, à Ajaccio, un petit garçon qu'on prénomme Napoléon.

Beaumarchais épouse alors, en secondes noces, Mme Lévêque, qui lui apporte une brillante fortune. Il peut donc se consoler de son échec. Il avait acheté, avec la collaboration de Paris-Duverney, une forêt, la forêt de Chinon, qui, sans lui donner grand'peine, lui rapportait force écus.

Ici se place l'anecdote héroï-comique du duel avec le duc de Chaulnes à qui il avait emprunté sa maîtresse et dont le récit est d'une bouffonnerie vaudevillesque. Le duc fut emprisonné à Vincennes et Beaumarchais au Fort-l'Évêque.

Le 21 novembre 1770, Beaumarchais perd sa deuxième épouse ; elle mourut en mettant au monde un fils. Quelques mois auparavant, Paris-Duverney mourait aussi, laissant pour légataire universel de son immense fortune son petit-neveu, le comte de la Blache, qui haïssait Beaumarchais. Lorsque ce dernier fit présenter son arrêté de comptes pour en obtenir le paiement, le neveu répondit qu'il ne reconnaissait pas la signature de son oncle, et qu'il considérait l'acte comme faux. Il y eut procès, et ce premier procès, entraînant à sa suite une cascade d'autres procès, donna naissance aux fameux *Mémoires* de Beaumarchais qui le rendirent célèbre non seulement en France mais dans l'Europe toute entière.

Un premier jugement fut rendu, dont Beaumarchais fit appel, provoquant ainsi l'affaire Goezmann. Il avait sollicité, pour le gagner à sa cause, le conseiller Goezmann et, à cet effet, il avait envoyé cent louis pour Goezmann, quinze louis pour son secrétaire et une montre à Mme Goezmann. Mme Goezmann renvoya les cent louis et la montre, mais voulut garder les quinze louis du secrétaire. Beaumarchais exigea qu'elle les rendît. Goezmann le dénonça alors pour tentative de corruption. Ce nouveau procès fit grand bruit car on en fit le procès de tout le Parlement Maupeou. Et c'est ainsi que Beaumarchais, qui n'avait pas encore pu arriver à se rendre célèbre, devint illustre en quelques heures par la publication de ses *Mémoires* : on vendit 6.000 exemplaires du quatrième en trois jours (1774).

Voltaire, d'Alembert, Horace Walpole, Mme du Deffand et ses familiers, Gœthe, Louis XV, Mme du Barry, les souverains étrangers, lurent avec passion ces *Mémoires* remplis d'une verve et d'une truculence qui les ravissaient et les faisaient rire aux larmes.

Goezmann fut condamné mais Beaumarchais

le fut aussi et perdit ses droits civiques. Mais il avait dépensé tant d'habileté, de ruse, d'entregent et d'humour que le roi Louis XV l'envoya à Londres en qualité d'agent secret.

Il s'agissait d'aller traiter avec un certain Theveneau de Morande, qui inondait la France de pamphlets clandestins où Mme du Barry était déchirée et vilipendée. Beaumarchais alla discuter avec ce maître-chanteur et obtint la destruction du livre des *Mémoires secrets d'une femme publique*.

Louis XV mourut. Mais comme la fabrique de libelles continuait à fonctionner et attaquait Louis XVI et sa jeune femme Marie-Antoinette, on envoya de nouveau à Londres M. de Ronac, anagramme de Caron, en qualité d'agent secret.

C'est là l'origine d'une rocambolesque histoire, au sujet de laquelle on ne pourra jamais savoir l'exacte vérité... Non seulement les récits de Beaumarchais sont sujets à caution, mais les mises en scène avec poursuites, attaques de diligences, coups de feu, blessures, emprisonnements, voyages à travers l'Europe qu'il organisa ou imagina ressortissent au roman policier.

Nouvelle aventure. En 1775, il entre en rapport avec le célèbre et mystérieux chevalier d'Eon.

Beaumarchais, au nom du roi Louis XVI, retourne à Londres enjoindre au chevalier d'Eon de déclarer publiquement qu'il est une femme et, en conséquence, de prendre les habits de son sexe.

A cinquante ans, Éon troque son uniforme
de dragon contre une robe et une coiffe. Parlant
de Beaumarchais, Éon écrit au ministre Ver-
gennes : « Il a l'insolence d'un garçon horloger
qui aurait, par hasard, trouvé le mouvement
perpétuel ».

En février 1775, *Le Barbier de Séville*, composé
trois ans auparavant et destiné aux comédiens
italiens, est représenté à la Comédie-Française.

En 1773, les comédiens français avaient dû
remettre la première, l'auteur étant au Fort-
l'Évêque. En 1774, le roi l'avait interdite à cause
de l'affaire Goezmann.

Beaumarchais, devenu célèbre par ses *Mémoires*, avait farci la pièce d'allusions à ses juges.
« Jamais, dit Grimm, première représentation
n'attira tant de monde ». L'échec fut complet et
Beaumarchais l'a spirituellement raconté dans la
préface de l'ouvrage.

« Mais *Le Barbier*, enterré le vendredi, se
releva triomphalement le dimanche ». Beaumarchais, pour le relever, s'était mis en quatre, comme
sa pièce. Du jour au lendemain, il avait refondu
deux actes en un, transposé des scènes, fait disparaître ce qui était louche ou confus, supprimé
tout ce qui était inutile et transformé un ouvrage
médiocre en une production charmante.

C'est ce jour-là, sans doute, qu'il écrivit
cette phrase dont tout homme de théâtre connaît

la profondeur : « Une comédie n'est vraiment achevée qu'après la première représentation ».

Ce fut alors le plein succès, « un succès extravagant, écrit Mme du Deffand ; la comédie fut portée aux nues, elle fut applaudie à tout rompre ». *Le Barbier* ne cessa d'attirer la foule jusqu'à la clôture de la saison d'hiver.

Mais, pour faire durer une comédie, ce n'est pas seulement avec le public qu'il faut compter, il faut compter aussi avec les comédiens qui la représentent. A cette époque, il était d'usage que toute pièce dont la recette tombait *une fois seulement* au-dessous d'un certain chiffre, fût qualifiée *tombée dans les règles* et devînt la propriété exclusive des comédiens ; ils pouvaient alors la reprendre et faire beaucoup d'argent, sans en devoir aucun compte à l'auteur.

On imagine aisément comment, dans ces conditions, l'intérêt même des comédiens les poussait à faire *tomber dans les règles* les pièces qu'ils jouaient pour les reprendre aussitôt à leur profit.

C'est alors que Beaumarchais se met à lutter avec ardeur et désintéressement jusqu'à la fin de sa vie pour défendre le droit des auteurs ; et c'est lui le véritable fondateur de la Société des Auteurs et Compositeurs de Musique, qu'Eugène Scribe organisera après lui.

Et maintenant, dans ce torrent d'activités diverses, imaginons : Beaumarchais, acheteur de fusils pour le compte des Américains qui vont conquérir leur indépendance vis-à-vis de l'Angleterre ; Beaumarchais, armateur, dans la même intention, d'une flotte imposante ; Beaumarchais contrebandier ; Beaumarchais éditeur des œuvres complètes de Voltaire en 162 volumes (c'était la plus forte opération de librairie qu'on eût tentée jusqu'alors).

Il avait acheté trois papeteries ; il avait acheté les fameux Baskerville, les caractères d'imprimerie les plus estimés, il avait acheté le Fort de Kehl (Voltaire était interdit en France) au Margrave de Bade ; il alla même jusqu'à organiser une loterie et des souscriptions pour mener à bien cette formidable entreprise. C'est au milieu de toutes ces occupations qu'il écrivait *Le Mariage de Figaro*. Il allait avoir cinquante ans.

Le *Mariage*, reçu en 1781, ne fut représenté au Théâtre Français que le 27 avril 1784, après de nombreuses lectures privées. Le tableau de cette première du *Mariage* est dans tous les recueils du temps.

Le roi Louis XVI, qui s'était fait lire le manuscrit, avait déclaré « qu'il faudrait détruire la Bastille pour que la représentation de la pièce ne fut pas une inconséquence dangereuse ».

Le Mariage de Figaro fut le plus grand succès du siècle, et eut soixante-dix-huit représentations consécutives. La Comédie-Française y avait gagné

La Nuit des LeBlanc, fils a 5.e
Tentees en Fera a la Salle de Gomedia.

Au mòme te voriez du nombre
Et cete instant trac le Monde Sombre, pour un simple Brudirim.

Acte 5.e du Mariage de Figaro
Scene des Marrones.

Collection Paul PRONTÉ.

Le mariage de Figaro, acte V

(Photo Harlingue.)

346.197 livres et Beaumarchais 41.499 livres. A la cinquantième, Beaumarchais imagina un nouveau moyen de publicité. Il est encore en usage. Il décida de consacrer une recette de sa pièce à la fondation d'un institut de bienfaisance en faveur des mères pauvres qui allaitent un enfant. Cette fondation ne vécut pas longtemps à Paris, mais, à Lyon, l'*Institut de bienfaisance maternelle*, instauré avec l'aide de l'archevêque, existe encore aujourd'hui. Le 8 mars 1785, l'auteur du *Mariage*, qui avait alors cinquante-trois ans, fut brusquement emprisonné à Saint-Lazare sans qu'on sût pourquoi. Louis XVI, à sa table de jeu, en avait donné l'ordre, au crayon, sur un sept de pique. Cinq jours après, Beaumarchais sortait pourtant de prison et la représentation du *Mariage* qui suivit fut une des plus brillantes ; tous les ministres y assistaient.

Et le roi, accordant un témoignage d'estime en réparation de l'offense, autorisa à Trianon une représentation du *Barbier de Séville*, où Marie-Antoinette jouait le rôle de Rosine.

1786. A l'âge de cinquante-quatre ans, Beaumarchais se marie pour la troisième fois.

Le Mariage de Figaro allait inspirer l'année suivante à Mozart le désir d'une traduction cristalline et chatoyante : *Les Noces de Figaro*.

Ici se place l'invention de la pompe de Chaillot par les frères Périer pour distribuer l'eau de

Seine dans tout Paris — et Beaumarchais va essayer d'organiser la Compagnie des Eaux. Il en résulta de vertigineuses spéculations qui mirent aux prises Beaumarchais et Mirabeau.

En 1787 eut lieu à l'Opéra la première représentation de *Tarare*. Beaumarchais voulait renouveler les grands effets spectaculaires des anciens grecs, il voulait aussi, précurseur de Paul Valéry, « rapprocher la morale et la philosophie de la géométrie ». Le prologue montrait le génie de la reproduction des êtres avec le génie du feu qui préside au soleil et qui est l'amant de la nature... occupé à créer des êtres. La pièce s'achevait sur ce duo final :

Mortel, qui que tu sois, prince, brahme ou soldat,
Homme, ta grandeur sur la terre
N'appartient point à ton état,
Elle est toute à ton caractère.

La *Mère coupable*, dernière œuvre en date, est de 1791 ; destinée au Théâtre Français, elle fut représentée sur le Théâtre du Marais. On y retrouve, vieillis, les personnages du *Barbier* et du *Mariage*.

Beaumarchais, le révolutionnaire avant la lettre, ne joua durant la Révolution qu'un rôle effacé.

On le retrouve en 1792 en Hollande, achetant

des fusils pour la France ; puis emprisonné en
Angleterre ; puis en exil à Hambourg ; enfin, de
retour à Paris à soixante-sept ans, il meurt le
28 mai 1799.

« Une réputation détestable !... » dit quelqu'un à Figaro. A quoi Figaro répond : « Et si
je vaux mieux qu'elle ? »

Telle est, rapportée aussi brièvement et impar-
tialement que possible, la vie pleine et tumul-
tueuse de Beaumarchais.

Je voudrais, pour en conclure le récit,
citer l'émouvante introduction du livre de Louis
de Loménie, qui fut un honnête biographe :

« Conduit par un petit-fils de Beaumarchais,
j'entrai un jour dans une maison de la rue du
Pas-de-la-Mule, et nous montâmes dans une man-
sarde où personne n'avait pénétré depuis bien
des années. En ouvrant, non sans difficulté, la
porte de ce réduit, nous soulevâmes un tourbillon
de poussière qui nous suffoqua. Je courus à la
fenêtre pour avoir de l'air ; mais, de même que la
porte, la fenêtre avait si bien perdu l'habitude
de s'ouvrir qu'elle résista à tous mes efforts ; le
bois, gonflé et altéré par l'humidité, menaçait
de s'en aller par morceaux sous ma main, lorsque

je pris le parti plus sage de casser deux carreaux.
Nous pûmes enfin respirer et jeter les yeux autour
de nous. La petite chambre était encombrée de
caisses et de cartons remplis de papiers. J'avais
devant moi, dans cette cellule inhabitée et silen-
cieuse, sous cette couche épaisse de poussière,
tout ce qui restait de l'un des esprits les plus vifs,
d'une des existences les plus bruyantes, les plus
agitées, les plus étranges qui aient paru dans le
siècle dernier ; j'avais devant moi tous les papiers
laissés par l'auteur du *Mariage de Figaro*.

« Lorsque la superbe maison bâtie par Beaumarchais sur le boulevard qui porte son nom
fut vendue et démolie, les papiers du défunt furent
transportés dans une maison voisine et enfermés
dans le cabinet où je les ai trouvés. La présence
d'une brosse et de quelques gants destinés à pré-
server les mains de la poussière indiquait qu'on
était venu, autrefois, de temps en temps, visiter
ce cabinet. Peu à peu, les visites étaient devenues
plus rares, la mort avait enlevé successivement
la veuve et la fille de Beaumarchais. Son gendre
et ses petits-fils, craignant que ces documents
ne s'égarassent entre des mains négligentes ou
hostiles, avaient pris le parti de les laisser dormir
en paix ; et c'est ainsi que des matériaux précieux
pour l'histoire du xviiie siècle, c'est ainsi que tous
les souvenirs d'une carrière extraordinaire étaient
restés enfouis depuis plus de trente ans dans une

cellule abandonnée dont l'aspect m'inspirait une mélancolie profonde. En troublant le sommeil de ce tas de papiers jaunis par le temps, écrits ou reçus autrefois dans le feu de la colère ou de la joie, par un être « si animé, si fortement en possession de la vie », il me semblait que je procédais à une exhumation.

« Cependant, une portion de ces papiers était classée avec soin : c'était celle qui a trait aux affaires si nombreuses et variées de Beaumarchais comme plaideur, négociant, armateur, fournisseur, administrateur :

« — Projet d'un cours universel de législation criminelle ;

» — Observations sur le moyen d'obtenir des terrains au Scioto ;

» — Note sur l'existence civile des protestants en France ;

» — Projet d'un emprunt également utile au roi et au public ;

» — Prospectus d'un moulin à établir à Harfleur ;

» — Projet de commerce de l'Inde par l'isthme de Suez ;

» — Mémoire sur la conversion de la tourbe en charbon ;

» — Mémoire sur la plantation de la rhubarbe ;

» — Prospectus d'une opération de finance en forme de loterie d'État ;

» — Projet d'un pont à l'Arsenal, etc., etc.

» L'autre partie, offrant un intérêt biographique, littéraire ou historique, était beaucoup plus en désordre. Ainsi, après avoir déterré dans ce chaos les manuscrits des trois drames et de l'opéra de Beaumarchais, nous avions vainement cherché un manuscrit du *Barbier de Séville* et du *Mariage de Figaro*, lorsqu'en faisant ouvrir par un serrurier un coffre dont la clef était perdue, nous découvrîmes les deux manuscrits au fond de ce coffre, sous une masse de papiers inutiles.

» A côté, se trouvait un mouvement de montre ou de pendule, exécuté en cuivre sur grand modèle.

» C'était la première invention par laquelle le jeune horloger Beaumarchais débuta dans la vie. La juxtaposition, dans la même caisse, de ces deux objets si différents, du chef-d'œuvre de l'horloger et des deux chefs-d'œuvre de l'auteur dramatique, avait quelque chose d'assez piquant ; c'était comme une réminiscence de je ne sais plus quel monarque de l'Orient qui plaçait dans le même coffre ses habits de berger et son manteau royal. Au fond de cette caisse se trouvaient aussi quelques portraits de femmes. L'un d'eux, très petite miniature représentant une belle dame de vingt à vingt-cinq ans, était enveloppé dans un

papier portant ces mots d'une écriture fine et
un peu griffonnée : « Je vous rends mon portrait ».
Qu'est devenue cette belle personne qui, pour
sceller une réconciliation, sans doute, écrivait : « Je
vous rends mon portrait ?... »

» L'examen de ces papiers fait vivement
regretter que Beaumarchais n'ait pas donné suite
au projet de raconter lui-même les singulières
péripéties d'une existence mêlée à tous les événements de son temps. De tous les hommes fameux
du XVIII⁰ siècle, il est celui dont la vie n'a été
connue du public que par quelques pages assez
vagues, semées çà et là dans des mémoires judi-
ciaires dont la forme apologétique et les réti-
cences obligées laissent incomplètement satisfaite
la curiosité du lecteur en défiance ».

On éprouve confusément le sentiment d'une
injustice. Il me semble que cette vie tourmentée,
torturée par je ne sais quelle insatisfaction, que
cette constance toujours renouvelée par le besoin
de l'aventure, où il n'a peut-être manqué que
de la quiétude ou de la tendresse, éclaire et explique
ce qu'il y a d'incomplet et de particulier dans
l'œuvre de Beaumarchais. Et je me demande si
toutes les raisons qu'on peut trouver pour ne pas
l'aimer ne seraient pas aussi bien des raisons
pour l'aimer.

Beaumarchais reste immortel : par *Le Barbier de Séville* et *Le Mariage de Figaro*, par *Les*

Noces de Figaro de Mozart et par sa fondation de la Société des Auteurs.

Il a mêlé à la littérature le commerce, et c'est peut-être par un souci exagéré du lucre qu'il lui a manqué ce quelque chose d'exquis et d'achevé que l'amour exclusif de l'art répand sur les compositions des grands maîtres.

Au fur et à mesure qu'elle se développe, on découvre dans sa vie une série de vocations qui contrarient celle de l'écrivain : vocation d'amoureux, d'homme d'affaires, de policier, de publiciste, de journaliste ou, déjà, de reporter ; engendrées par une mythomanie excessive et continuelle, toutes ces vocations ont fait dévier ou ont amoindri ce qui aurait été son génie dramatique.

» En mêlant au vieil esprit gaulois les goûts du moment, un peu de Rabelais et de Voltaire, en y jetant un léger déguisement espagnol et quelques rayons du soleil d'Andalousie, il a su être le plus réjouissant et le plus remuant Parisien de son temps : le Gil Blas de l'époque encyclopédique à la veille de l'époque révolutionnaire. Il a redonné cours à toutes sortes de vieilles vérités, d'expériences ou de vieilles satires, en les rajeunissant ».

Dans son œuvre, toute la tradition italienne de la Commedia dell'Arte, après avoir passé par Molière, s'est définitivement francisée en s'y cristallisant. Plus hardi que Marivaux, par une magie dramatique exceptionnelle, il a transmué Arlequin, Scaramouche et Scapin, en Figaro ; Cassandre, Pantalon et le docteur Balouard en Bartholo ; Lélio et Léandre en Almaviva et Tartaglia en Brid'Oison ; et ce sont ses personnages qui engendrèrent à leur tour toute la série des héros d'opéra-comique, d'opérette et de vaudeville qui nous sont si familiers. En ce sens, Beaumarchais est aussi le père spirituel de toute une génération d'auteurs dramatiques de Scribe, de Meilhac et Halévy, de Capus, de Robert de Flers et de Caillavet.

Il est vain de chercher une inspiration ou un système dramatique dans l'œuvre de Beaumarchais ; elle est un hasard, un merveilleux accident. Dans cette vie pleine d'intrigues dramatisées, d'incidences, de pathétique égoïstement éprouvé, dans une absolue sincérité, Beaumarchais offre la perpétuelle contradiction qu'on trouve dans les vies des comédiens, dans les gestes des grands acteurs.

Pour expliquer son œuvre et sa vie, pour en pénétrer le secret, l'idée à quoi se prend l'esprit est de rêver. Peut-être Beaumarchais a-t-il été un auteur de génie parce qu'il portait en lui, parce qu'il vivait profondément, des personnages. Figaro, Suzanne, Bartholo, Chérubin, Almaviva, la Comtesse, tous ces personnages qu'il a fait surgir sur le théâtre, il les a vécus, ils sont sa véritable et multiple incarnation, ils sont à eux tous l'homme qu'il a été, ce sont eux qui ont agi sa vie.

Le succès de Beaumarchais s'explique encore par le sens de l'à-propos, par ce sens si parisien et si théâtral de l'actualité, par ses qualités d'homme du monde, et par cette intuition de la mode qui est une des vertus de l'auteur dramatique. Son succès s'explique par cette langue exceptionnelle qu'il a parlée à un public qui avait encore de l'oreille avant d'avoir des sens et qui, comme lui, avait aussi bien du talent.

VICTOR HUGO ET LE THÉATRE

« Victor-Marie, comte Hugo », disait Charles Péguy. « Nous, les Burgraves », déclamait Mounet-Sully dans un rugissement magnifique. Et nos mères nous racontaient avec une admiration recueillie les obsèques nationales de Hugo — le corbillard des pauvres et l'Arc de Triomphe — dont le cérémonial ne devait trouver d'équivalent que pour le Poilu Inconnu.

Un peu plus tard — au quartier Latin, rue Lhomond — j'ai connu un hugolâtre, un graveur dans le genre de cet homme chevelu qui dessinait inlassablement des cathédrales sous les ombrages du jardin du Luxembourg : Merovak, l'homme aux cathédrales. Mon hugolâtre avait sa vie nettement divisée en deux parties : l'une était consacrée à des besognes pour catalogues ou dictionnaires ; celle-là consistait à dessiner, faussement gravés, les types les plus divers de chaussures, de coléoptères ou de palmipèdes, suivant les demandes d'un courtier qui venait le visiter chaque semaine et lui permettait de payer, avec sa chambre, le fromage de gruyère, les sardines et le litre de vin qui, en dehors de Hugo, constituaient le principal de son alimentation.

Une autre partie de sa vie, l'essentielle, celle qui prenait aussi la moitié de ses nuits, était la dévotion et la mystique hugoliennes.

— Hugo, c'est simple... le génie, le génie universel !

— Mais, mon vieux, son théâtre, pourtant...

— Je consens à t'accorder que son théâtre est la moins bonne partie de son œuvre, concédait-il en soufflant sur son carton les râclures de gommes à effacer, mais il ne faut pas dénigrer ses personnages. Ce sont des statues — mal équarries peut-être — mais ce sont des statues !

Il avait quelque dix ans de plus que moi, le ton sincère de ses affirmations dominait à la fois mes sentiments et mes opinions.

De retour, ce soir-là, de l'amphithéâtre de la Comédie-Française, où j'avais assisté à une représentation de Racine, et encore sous l'impression très différente que peut laisser Britannicus si l'on songe tout à coup à Lucrèce Borgia, il avait suffi que je lui répondisse avec un peu de nervosité pour le voir se déchaîner.

Une effroyable bagarre surgit un jour entre nous ; influencé sans doute par un autre climat dramatique que celui de Hugo, j'avais proféré que ses personnages étaient primitifs et creux comme des tam-tams. Exaspéré par son admiration, je reniai jusqu'à Ruy Blas et lui déclarai que les

courges desséchées dites calebasses avaient autant
d'humanité que les héros de Hugo. Ce fut épique.
Dans un duel de citations, nous nous jetâmes à
la tête tout ce qui encombrait notre mémoire,
lui dans le lyrisme pour me faire taire, moi dans
le théâtral pour le narguer.

« Tu crois que c'est commode à dire :

Vous êtes deux dans ce château que j'aime.
Vous d'abord avant tout — avant mon père même
Si j'en avais un !

Sur quoi, il se mettait à hurler à perdre haleine
la tirade de « *Bon appétit, Messieurs !* »

Les citations pleuvaient de part et d'autre.

Le comble fut mis par un vers de *Cromwell*
que j'utilisais souvent dans ces circonstances pas-
sionnées :

Quand on n'a rien à dire, on parle pour parler.

Hugo était écartelé entre un fanatique et un
iconoclaste.

— Tu es injuste ou monstrueux, hurlait-il.
Et je répondais, en parodiant le maître :

Les uns disent génie et les autres bouffons.

« On est toujours injuste quand on parle

de Hugo », soupira-t-il à la fin, et il se remit à
son travail en silence.

Ainsi allaient nos conversations, très avant
dans la nuit, cependant que sa pointe sèche hachurait minutieusement le tache d'encre de chine
destinée à se transformer, pour la séduction des
acheteurs de province, en un magnifique escar-
pin à 6 fr. 75.

Mais quand, enfin, était achevée la besogne
alimentaire, alors d'un geste familier, élégant
et las à la fois, relevant du revers de sa main la
mèche de cheveux qui traînait parfois jusque
sur le papier, il allait chercher dans le coin réservé
de la chambre une immense planche qui était la
part noble de sa vie et la justification de son âme
et de son destin.

« Et maintenant, je vais me mettre au Frontispice, disait-il, ça me reposera ».

Puis, après avoir éloigné soigneusement les
vestiges de nourriture, incompatibles avec l'état
mystique où il allait entrer, découvrant le papier
calque qui protégeait son œuvre, il jetait un œil
contemplatif et satisfait sur son travail de Péné-
lope : la communion hugolienne commençait !

On apercevait un univers de personnages
participant à la fois de la manière de Callot, de
Célestin Nanteuil et de Deveria, mais où la technique et l'amour de Gustave Doré éclataient par-
dessus tout. C'était le frontispice d'une édition

monumentale du théâtre de Victor Hugo qui ne
paraîtra jamais.

Autour d'un portrait de l'auteur, dans une
vieillissante majesté, on aperçoit une foule innombrable de fantômes. D'abord dona Sol, puis Marie
de Neubourg, reine d'Espagne ; aux pieds de la
première, Hernani, auguste et agenouillé, dont
l'immense cor pendant à sa ceinture semble posé
par terre ; aux pieds de la seconde, Ruy Blas,
en livrée, tend à sa reine un bouquet de « ces
fleurs bleues »

Pour lesquelles il fait chaque jour une lieue
Jusqu'à Caramanchel.

J'en ai cherché partout sans en trouver ailleurs,

déclamait mon ami, en fignolant le bouquet.

Puis une figure de madone semble s'enfuir,
entraînant un pâle jeune homme. C'est Marion
Delorme et son Didier — sans doute — car dans
la perspective de leur fuite, il y a, magistralement
dessinée, une superbe litière qui laisse passer,
entre ses lourdes draperies, une longue main —
celle du cardinal de Richelieu. On ne voit jamais
que sa main, tandis que l'acteur qui joue le rôle,
entre les rythmes des tambours, laisse tomber
les seuls trois mots de son texte : *Paaas de grâaaace !*
Plus loin, une gitane, la Esméralda, danse devant

Marie Tudor affligée. Torquemada est si long que
son sourire va se loger dans le haut de la gravure.
Le Lord Protecteur est de dos et se voile la face ;
tout à côté, un quarteron de Burgraves puissants
et noueux :

Hatto, Gorlois le duc, Gerhard de Thuringe,
Platon, Gilissa, Zoaglio, Giannilario, Darius,
Cadwalla, Lupus, Uther, Otbert, puis Magnus,
Puis au centre Job. Et puis

                     « un grand vieillard »
Presque enfoui sous l'herbe et le lierre et la mousse.
Et c'était l'empereur Frédéric Barberousse !
Il dormait d'un sommeil farouche et surprenant,
Sa barbe d'or jadis, de neige maintenant,
Faisait trois fois le tour de la table de pierre.

Et puis François Ier, entre deux de ses maî-
tresses ; le duc de Saint-Vallier et sa fille Diane
de Poitiers, comtesse de Brézé ; et puis Triboulet
sur le corps de sa fille, agenouillé, tâtant le sac.
Pendant des heures, j'ai vu mon ami l'hugolien
engrosser ce sac du corps de la bien-aimée Blanche,
et tandis qu'il hachurait de-ci de-là, il répétait le
vers de Triboulet qui lui donnait le sens de son
travail :

Je sens les éperons au travers de la toile !

Incroyable et saisissante assemblée, morne tumulte de personnages figés dans des poses pathétiques de symboles, tout ce que la légende, l'histoire et l'imagination de Hugo ont créé était là, dans un fouillis de têtes qui évoquait plutôt le musée Grévin que Michel-Ange ; enchevêtrement de barbes, de perruques et de manteaux, collection de toutes les coiffures, arsenal de tous les accessoires : coffrets d'écaille, flambeaux, gobelets, jeux de cartes, pichets d'étain et de grès, parchemins et lettres cachetées, torches, lanternes, bourses de cuir et fleurs des champs, fourches de bois et lapins morts, tambourins et guitares, saint ciboire et encriers, plumes d'oies et armoiries, pioches, trousseaux de clefs, livre de messe, cartels, canne de jonc, crosse d'évêque, sceptre de roi, lampadaires, lustres, gongs, poulets rôtis, hanaps et vin du Rhin étaient amoncelés sur le sol de ce lieu apocalyptique.

On apercevait en même temps une bourse à écussons, un bouquet de myosotis, le morceau de la manchette de dentelle de Ruy Blas, des tronçons d'épées, une lettre décachetée, un manteau de velours, un chapeau à plume et un éventail, et tout cela ne rendait ni son ni odeur, en dépit des sonnettes et des gongs qui parsemaient le gazon.

Dans le lointain vaporeux et dantesque on apercevait encore toute la distribution d'Angelo et Marie Tudor, les cercueils de Lucrèce Borgia et tous les personnages de théâtre de l'épopée hugolienne : Mazarin, François de Paule, Louis XIII — valets, soldats, nécromants, pages, conjurés, traîtres et héros, dont les moindres s'appellent Gondicarius, Elespuru, Gramadoch ou Plinlimmon.

Car à portée de sa main, sur une chaise, dans un énorme cahier plein de croquis et de notes les plus diverses, hauts-de-chausse esquissés, morions, hallebardes ou lanternes sourdes, il avait la liste complète de tous les personnages du théâtre de Hugo, avec les détails les plus exacts sur leur généalogie, leur caractère et leurs costumes.

Le cinéma est relativement un art pauvre. « Mon vieux, me disait-il encore, tu as tort. » Tu ne l'aimes pas assez. Pour ta profession, il est *le seul maître*. Hugo, c'est le théâtral par excellence ».

Il ne croyait pas si bien dire.

J'ai quitté la rue Lhomond. Et, quelques années plus tard, lorsque je suis allé, au hasard, prendre de ses nouvelles, Hugo l'avait rappelé à lui. Il était mort fou. Il s'appelait Boissy, son nom de baptême était Albéric.

Il y a deux constatations importantes à faire sur le théâtre de Hugo : c'est, d'une part,

Victor Hugo
Album de portraits de la collection Moreau Nélaton.

(Cabinet des Estampes.)   *(Photo Harlingue.)*

son succès triomphal, immédiat, éclatant auprès
de la foule, et la lenteur qu'il a mis à atteindre
l'élite et à la conquérir.

Certains poètes — c'est sans doute le plus
grand nombre — n'ont pris part à l'histoire littéraire que par le canal des cénacles qui, lentement,
ont imposé leur génie. Hugo, au contraire, célèbre
du jour au lendemain, encensé pendant près
d'un siècle, glorieux et olympien, Hugo vivant
parmi d'innombrables effigies, Hugo, qui a donné
son nom dans toutes les villes de France à une rue,
un cours, un lycée ou une crèche, Hugo n'a préoc-
cupé l'élite que longtemps après sa mort.

La politique a nui au poète et au dramaturge — non point la politique par laquelle il
avait acquis un titre de représentant du peuple —
mais cette politique dont il a créé le ton et le
style, et qui faisait de lui en toutes circonstances
un étonnant orateur.

La gloire de Hugo vivant a empêché la gloire
de Hugo mort, et sa « démesure » effare ceux
qui voudraient l'aimer.

Léon-Paul Fargue écrivit de lui :

« Hugo, c'est vraiment l'honneur de la profession. Je l'ai vu, alors que j'étais à peine gamin,
qui sortait un jour de sa maison de l'avenue d'Ey-
lau. C'était un très vieux monsieur à barbe blanche
dont la silhouette et la démarche électrisaient
la rue. J'ai eu, ce jour-là, la révélation de ce qu'il

était, de ce qu'il devait être, de ce qu'il sera toujours : un père Noël. Un père Noël qui a déposé des jouets jamais vus encore, des jouets merveilleux, des jouets insensés dans les souliers de la littérature. »

Des jouets insensés ! Oui, ce sont là les cadeaux qu'il a fait au théâtre français. Des jouets ! *Mais les jouets ne sont pas ce qu'ils représentent — ils sont ce qu'on en peut faire.* La question théâtrale peut être résumée dans ce point de vue du jeu et du jouet.

Maurois écrit quelque part, rapportant des souvenirs :

« Nous acceptions tout, nous acceptions le cor d'Hernani et la scène des portraits, parce que c'était Mounet. »

Ce même Mounet magnifique, qui, sortant de scène haletant, ruisselant de sueur, se laissait choir au Foyer de la Comédie-Française et chuchotait dans le plaisir de son triomphe et dans son essoufflement : « Il faut jouer cela comme des enfants. »

C'est la part de sincérité et de foi qu'apporte un comédien dans les rôles de Hugo qui fait encore passer, sur la foule attentive, ce grand souffle de lyrisme qui l'enthousiasme.

C'est avec un esprit candide et émerveillé qu'il faut assister aux représentations des pièces de Hugo. C'est sans doute ce que veut dire André

Thérive quand il écrit : « Hugo a laissé des pièces délicieuses pour qui aime le guignol gigantesque. »

La grande erreur, toujours la même, plus flagrante encore avec l'auteur des *Burgraves*, c'est de *lire* ses pièces ou de les juger *littérairement*. On veut refuser à l'auteur de *Ruy Blas* le génie dramatique, parce qu'on le juge à froid. La tirade qui fait la grandeur de Hugo dramaturge, devient alors parfaitement inacceptable.

Et pourtant, c'est cette tirade même qui, à la représentation, crée l'extase d'une foule et déchaîne son enthousiasme.

Il faut avoir senti déferler cette houle, ce roulis et ce tangage humains dans l'entonnoir du théâtre d'Orange pour comprendre la vraie valeur d'*Hernani*, pour juger aussi l'océan populaire soulevé par le souffle et le vent lyrique du poëte. Tout est conçu pour le couplet, et si l'acteur a su attaquer et chanter juste pour amener cet « instant dramatique » et créer cette stase chère aux musiciens et aux chanteurs d'opéra, la partie est gagnée. Hugo est un grand bonhomme, mais c'est un dramaturge qu'il ne faut pas analyser.

Il faut se laisser aller au « coup de gueule », qui termine sa cantilène. Il faut suivre la courbe sinueuse et fusante à la fin de son « arioso ». On peut dire que ses moyens sont artificiels ou exclu-

sivement musicaux. Mais le résultat est imman-
quable.

Seule une histoire du drame lyrique pourrait
expliquer la préface de *Cromwell* et le but poursuivi par Victor Hugo.

Hugo s'est souvenu des tragédies antiques,
tout comme Wagner hanté par les mêmes idées,
mais la réussite du musicien est plus évidente.

Dans les cérémonies antiques, modulées ou
psalmodiées, on trouve déjà en germe ce qui résume
le lyrisme de Hugo : incantation, transe, rythme,
poésie, plus tard ce sera le chant — suivant la
conception de l'opéra italien — ce sont les mêmes
constantes entre la parole et le chant, la pensée
et la musique.

Au grand siècle de la tragédie classique, la
pensée s'exprime dans une déclamation mono-
dique ou variée, mais où le sentiment engendre
le rythme, le chant du texte. L'opéra naissant
apporte le récitatif avec la prédominance de la
musique. On aboutit alors au couplet, au grand
air, à l'arioso, car la pensée devient nuisible au
charme musical. « Si vous voulez bien chanter
ma musique — disait, en ce temps-là, Lulli, allez
entendre la Champmeslé ».

Hugo, c'est de l'opéra — et alors François Ier
est plus à l'aise dans *Rigoletto* que dans *Le Roi
s'amuse.*

Dans Racine ou dans Corneille, l'action conduit

la pièce ; dans Victor Hugo, elle ne sert qu'à provoquer le couplet, le grand air de bravoure. C'est de la prestidigitation théâtrale — et le début de *Cromwell* c'est le début du *Courrier de Lyon*. Et le récit du *Cid*, en dépit des théories de l'auteur, est beaucoup plus dramatique et plus vivant que la tirade de Triboulet ou de Saint-Vallier.

Plus tard, Francesco de Santis affirmait, dans sa leçon d'ouverture à la Sorbonne : « Autant la parole, comme moyen d'expression, est puissante, autant, quand elle ne s'adresse qu'aux sens, elle est inférieure à tous les autres instruments dont l'art dispose pour l'imitation de la nature et de la vie. »

Casimir Delavigne engendra Victor Hugo, qui engendra Ponsard, qui engendra Henri de Bornier, qui engendra Edmond Rostand.

Hugo est un grand poète, sans doute, et un dramaturge contestable, mais je ne lui en ferai pas grief. Cependant, je songe avec mélancolie que, sans lui, Musset eût été peut-être notre Shakespeare.

Il n'est pas question de prendre parti pour ou contre Hugo : il existe au delà de toute expression littéraire. Mais on peut dire de lui ce que Hugo disait de Gœthe : « Il est surfait ; il est temps de l'installer à sa place, au second ou au troisième rang — c'est un talent, non un génie ».

J'aimerais illustrer de citations hugoliennes le jugement définitif, à mon sens, qu'a porté Pierre Brisson sur son théâtre, à propos de la reprise des *Burgraves*.

« Un décor verbal d'une richesse extraordinaire et même grandiose par moments et des personnages plus creux que des trompettes. On pourrait demeurer songeur si le problème Hugo dramaturge n'était depuis longtemps résolu. Nous savons que le théâtre reste la partie de beaucoup la plus faible et la plus périssable de son œuvre, pour la raison toute simple qu'une pièce n'a de chance de durer que soutenue par un sentiment profond. Cette chaleur intime du sentiment, Hugo ne l'a jamais insufflée à ses personnages. Aucune note de souffrance vraie, aucune palpitation secrète, aucun prolongement : un art purement oratoire. Molière, dans vingt-cinq vers d'Alceste, a mis plus d'émotion humaine que Hugo dans son répertoire entier. Le don miraculeux de magnifier les choses le trompait sur sa vie intérieure et, à plus forte raison, sur celle de ses héros. Les décors que son imagination lui fournissait sans relâche masquaient à ses yeux la réalité des êtres. Par l'ampleur et la solennité du ton, par ses mises en scène d'apocalypse, il se faisait illusion sur l'importance de ses projets. La forme de son esprit ne lui permettait d'y accueillir que des notions puissamment élémentaires. Il allait d'instinct, et

tout droit, à l'antithèse, c'est-à-dire à la simpli-
fication. Or, le théâtre ne vit que de complexités.
*C'est dans la mesure où un personnage reste dou-
teux qu'il garde une apparence humaine.* La psychologie d'Alceste, de Tartuffe, de Phèdre, d'Andromaque ou d'Hamlet sera toujours à reprendre.
Les siècles, en passant, ne pourront que l'enrichir.
Sortis du poème, Ruy Blas, Hernani, le vieux
duc Job, n'ont plus rien à nous révéler. »

Que la gloire de Hugo puisse s'en trouver
diminuée, la question n'est pas là. Les discus-
sions à ce propos m'ont toujours paru vides de
sens et sans conclusion possible. Personne ne
songerait à vous demander : « Etes-vous pour
ou contre le mont Blanc? — Le mont Blanc existe,
voilà tout ».

De toutes parts, on s'interroge, on recherche
les opinions formulées : ce que dit Dumas, ou
Augier, ou Courteline. Boissy, Porché, Duhamel
le magnifient, André Rousseaux l'observe cli-
niquement, et Farrère le dénigre. Il n'y a guère
moyen de se faire une doctrine.

Comme les murs des vieux temples, ou les
livres d'or des hostelleries, où les pèlerins et les
visiteurs tiennent à laisser la trace de leur passage et de leurs digestions, Victor Hugo apparaît, après ces lectures diverses, comme un monument public où chacun dépose ses impressions,
après je ne sais quel pique-nique spirituel, ratu-

rant ce qu'ont dit les autres, ajoutant aux premiers graffiti, sans même entrer dans l'édifice, si bien qu'il n'est pas très sûr que ce qui est actuellement le plus important ne soit pas le débat et la foire qu'on mène tout autour.

La liberté de ces opinions et de ces propos est quelquefois très violente. La seule qui soit péremptoire et définitive me paraît celle — regrettable d'ailleurs — de Jean Moréas, qui disait tout uniment : « Victor Hugo est un c... ».

Non, Victor Hugo avait raison, il l'a lui-même écrit : « En littérature, le plus sûr moyen d'avoir raison, c'est d'être mort ».

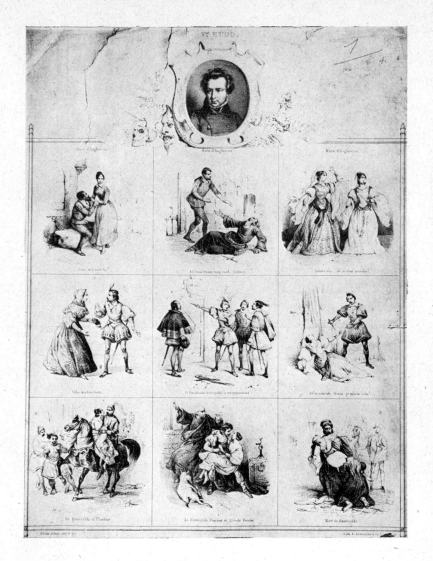

Victor Hugo et ses œuvres.

(Photo Rigal.)

LA DISGRACE DE BECQUE

La vie et l'œuvre d'Henry Becque ne sont qu'un amas de catastrophes ou de disgrâces et je me demande avec angoisse si la malédiction qui l'a poursuivi toute sa vie ne le poursuit pas encore au delà de la mort.

Si j'en avais le pouvoir, je voudrais que ces pages fussent une manière d'exorcisme ou de conjuration, et, s'il y a parmi mes lecteurs quelques personnes pieuses, qu'elles se signent avec soulagement.

Quand on m'a demandé de faire cette étude à propos du cinquantenaire de *La Parisienne*, j'ai dû répondre : — « Je n'aime pas Becque ».

— « Eh bien, vous direz que vous n'aimez pas Becque ».

Je n'avais plus rien à répondre et voilà le thème de ce chapitre.

Je le déclare avec tristesse, avec une mélancolie qui ne va pas sans compassion : je n'aime pas Becque et j'éprouve, en le disant, un sentiment secret plein d'émotion. Je sais que je n'aime pas Becque et je ressens cet aveu comme une découverte, une révélation, comme l'aube d'une

admiration particulière dont je vais essayer de
donner les raisons et la justification.

Imaginons un instant que nous ne connais-
sons rien d'Henry Becque, que nous ne savons
même pas qui il est, et ouvrons au hasard un
de ses ouvrages. Que penseriez-vous d'un moraliste qui écrit ceci :

> *Le déluge n'a pas réussi : il est resté un homme.*
>
> *En vieillissant, on s'aperçoit que la vengeance
> est encore la forme la plus sûre de la justice.*
>
> *Il ne faut pas voir ses amis si on veut les
> conserver.*
>
> *L'honneur n'a plus que des professionnels.*
>
> *Il n'y a pas deux manières de parler des autres :
> ou d'en dire du bien ou d'en dire du mal. Notre
> intérêt nous commande d'en dire du bien, la vérité
> veut qu'on en dise du mal.*
>
> *La morale est peut-être la forme la plus cruelle
> de la méchanceté.*
>
> *Quand tu ouvres ta porte, c'est un ennemi
> qui entre.*
>
> *C'est un grand repos de vivre avec les mêmes
> gens, on sait qu'ils vous détestent.*
>
> *L'élite, c'est la canaille.*

Et voulez-vous savoir comment ces pensées
sont venues à l'esprit de leur auteur? Il prend
soin lui-même de l'expliquer à la postérité :

Programme de la matinée du 31 mai 1904, organisée pour donner
une sépulture et élever un monument à Henry Becque (couverture)

« L'été ! c'était charmant. Dès que le jour paraissait, j'allais ouvrir ma fenêtre et je me remettais au lit. Une pomme d'arbre qui venait du jardin voisin entrait dans ma chambre avec des fleurs et des oiseaux. Les Champs-Élysées m'appartenaient. C'est là, *que la critique le sache bien*, dans le bon air et la verdure, le ciel sur la tête, que j'ai trouvé mes mots les plus cruels ».

Voici maintenant une autre fleur, dans le champ de la correspondance :

« *Mon cher ami,*

« *Vous savez que je demande les palmes pour M. E. Dufresne, greffier de la Justice de paix du VIIe arrondissement. C'est un homme très bien sous tous les rapports.*

» *Je suis allé voir M. Saguin et le chef de cabinet du ministre de la Justice. J'avais tout lieu de croire, après ces deux démarches, que l'affaire était faite.*

» *M. Dufresne m'a écrit, hier soir, qu'il avait envoyé un sondeur à l'Instruction publique. On lui a répondu que la nomination était probable, mais qu'elle n'était pas certaine.*

» *Que faut-il faire ? faut-il, pour les palmes, aller jusqu'au ministre et jusqu'au président de la*

République ? Vous me connaissez, si on me faisait
une crasse pareille, on le regretterait.
   » *Bien à vous,*

Henry BECQUE. »

Que penseriez-vous d'un homme du monde
reçu dans un salon et qui déclarerait à haute voix
qu'à y regarder d'un peu près, le salon d'une
grande dame ne diffère pas sensiblement d'une
loge de concierge et qui ferait circuler, dans ce
même salon, des petits papiers sur les invités,
dont voici un échantillon :

Monsieur de Heredia, c'est un homme qui compte,
Il a fait deux ou trois sonnets de plus qu'Oronte.

Henri Fouquier raconte dans le *Gil Blas* :
   « Becque est la terreur de l'hôtesse et des
invités. »
   Et maintenant, que penseriez-vous de l'homme
qui, souhaitant être Don Juan, a écrit ce seul
chant d'amour :

Je n'ai rien qui me la rappelle,
Pas de portrait, pas de cheveux,
Je n'ai pas une lettre d'elle.
Nous nous détestions, tous les deux.

J'étais brutal et langoureux,
Elle était ardente et cruelle.
Amour d'un homme malheureux
Pour une maîtresse infidèle.

Un jour, nous nous sommes quittés
Après tant de félicités,
Tant de baisers et tant de larmes

Comme deux ennemis rompus
Que leur haine ne soutient plus
Et qui laissent tomber leurs armes.

« Un sucrier, une carafe et un verre d'eau : tout ce qu'il faut pour parler. » C'est là une réplique d'un personnage de Becque, une réplique qui veut être comique, mais dont le conférencier qui parle de lui peut éprouver la dérision et l'amère tristesse.

Né le 18 avril 1837, mort le 12 mai 1899, n'ayant quitté Paris que deux ou trois fois pour des besognes littéraires, il n'y a pas, dans toute cette vie, une anecdote aimable, un sourire ou un amour. Il n'y a, tout au long de cette existence, qu'un concours de circonstances mystérieusement néfastes, de conjonctures sinistres, qui n'apparaissent pas au premier abord, tant elles sont sournoises et malignes, mais dont les symptômes réguliers, constants et cadencés, font découvrir tout à coup, dans la vie et l'œuvre de Becque, une trame de deuil. Toutes les tentatives, tous les efforts, toutes les manifestations de son œuvre oscillent entre un Charybde et un Scylla de l'art dramatique.

Le premier essai de Becque au théâtre fut un livret d'opéra : *Sardanapale*. L'auteur de la musique, M. Victorien de Joncières, s'était, d'avance, assuré le succès : beau théâtre, belle distribution et des relations. Six fois de suite, la première représentation fut remise : les six acteurs de la distribution, les uns après les autres, étaient atteints d'enrouement.

Même phénomène au Vaudeville, pour *L'Enfant prodigue*, en 1868 ; à la seconde représentation, Delannoy, qui joue le rôle principal, est aphone, et la pièce est arrêtée.

C'est ce jour-là aussi que Francisque Sarcey *(digitus in oculo)* écrit de celui qui a gardé encore aujourd'hui le titre de prince de l'amertume : « Ce jeune homme a reçu de la fée du théâtre ce don qui tient lieu de tous les autres : la gaîté ».

Gérard Bauer, qui est un spécialiste d'Henry Becque et qui l'a bien connu par son père, Henry Bauer, lequel fut à la fois son protecteur et son ami, me disait que Becque avait, dans la conversation, deux phrases familières, deux phrases-tics qu'il ne cessait de répéter à tous propos : « Qu'est-ce que vous dites de ça?... Qu'est-ce que vous dites de ça? » et aussi : « Croyez-vous que c'est drôle ! »

Deux mois avant la déclaration de guerre, en 1870, Becque a écrit un grand drame social dans lequel il a mis tous ses espoirs : *la pièce a été partout refusée*. Alors, notre auteur assume, à lui seul, les risques financiers de la représentation ; il loue un théâtre, la Porte-Saint-Martin. Il finit par obtenir Taillade comme principal interprète. Enfin, lorsque tous les obstacles sont surmontés et que tout est prêt pour jouer la partie, pendant dix-huit jours une canicule exceptionnelle dans les annales météorologiques fait monter le thermomètre à 35 degrés et transforme les théâtres en fours crématoires. Qu'est-ce que vous dites de ça?

Voulez-vous savoir comment naquit *La Navette*, ce petit chef-d'œuvre en un acte qui est déjà l'esquisse de *La Parisienne?* M. Montigny, directeur du Gymnase, l'affiche à son théâtre le soir d'une grande première aux Variétés où la critique se rend, officiellement, en corps constitué : personne n'en parlera.

Mais la Comédie-Française va créer *Les Honnêtes Femmes*. Alors, l'administrateur, par un curieux état d'esprit, lui aussi, affiche la pièce pour la matinée du Jour de l'An : la critique a tout de même bien le droit de rester chez elle. Personne n'en parlera. Croyez-vous que c'est drôle?

1882, le 14 septembre. — Après bien des péripéties et des drames, on va jouer à la Comédie-Française *Les Corbeaux*. La première en est très attendue. Tous les incidents préalables à cette manifestation ont déchaîné les curiosités ; les indiscrétions laissent entendre que la pièce est très scandaleuse. La représentation sera un véritable événement parisien. En effet, Mme de Montifaud gifle M. Maizeroy, le rédacteur du *Figaro*, en pleine salle, et il n'est question, durant toute la représentation, que de Mlle Feyghine, pensionnaire au Théâtre-Français, qui vient de se suicider chez le duc de Morny.

1890. — Après encore bien des péripéties et des drames, la Comédie-Française va jouer *La Parisienne*, mais à condition que Becque accepte comme principale interprète Mlle Samary. Becque accepte ; alors, quelques jours après, la charmante artiste tombera malade et ne se relèvera plus.

1893. — Becque va enfin connaître le succès. On joue à Rome *Les Corbeaux* et *La Parisienne*. Becque va en Italie et commence une série de conférences. La location du théâtre est assiégée et les recettes promettent d'estimables bénéfices. A ce moment, l'impresario disparaît en emportant la caisse et tout s'effondre.

Becque, parmi beaucoup d'inimitiés, n'aimait pas Dumas. Il écrivit un jour sur lui le distique que voici :

Comme il fut deux Corneille, il y a deux Dumas.
Mais aucun d'eux n'est Pierre et tous deux sont Tho-
[*mas.*

Voici ce que répondit l'auteur de *La Dame aux camélias* :

Si ce coup de bec de Becque t'éveille
O Thomas Corneille, en l'obscur tombeau,
Pardonne à l'auteur qui bâille aux Corneilles
Et songe au public qui bâille aux Corbeaux.

A la place de Becque, je me serais tenu tranquille et vous aussi, sans doute. Point du tout : le voilà parti pour Marseille où il se propose de distiller, dans une conférence soignée, quelques belles rosseries sur son ennemi. Il descend du train, l'esprit tout aiguisé de verve. On lui apprend tout aussitôt que Dumas est mourant. Que pensez-vous qu'il fît? Il ne fit pas sa conférence ! Mais il se présenta, quelques jours après, à l'Académie française, candidat au fauteuil même d'Alexandre Dumas. Il n'eut pas quatre voix. Croyez-vous que c'est drôle?

Et cette liste serait longue, si elle n'était pénible et douloureuse.

Voulez-vous savoir comment Becque mourut?
Un soir d'avril 1899, il se couche, avec son éternel
cigare à la bouche. Il s'endort. Le cigare tombe,
met le feu d'abord à la descente de lit, puis au
bois du lit. Becque se réveille, environné de fumée,
endosse, sur sa chemise de nuit, son frac, et se
précipite chez les pompiers où son étrange costume l'oblige à expliquer longuement qu'il n'est
pas fou et qu'il y a le feu chez lui. Il prend froid
et meurt, quelque temps après, la veille même
d'un soir où l'on reprenait *La Parisienne*.

12 mai 1899. — Henry Becque meurt ; il
va jouir enfin de son dernier repos. Le combat
est fini pour lui. Les journaux vont pouvoir rendre
hommage à l'honnêteté de sa vie, à la sincérité
de son œuvre. Déjà, dans les rédactions, on s'em-
presse pour faire l'éloge mérité de celui qui n'a
jamais connu que la critique. Mais sa période
militante ne sera décidément pas suivie d'une
période triomphante.

A peine a-t-on clos ses yeux que son ennemi
capital, celui qui, tout au long de sa vie, l'a irrité
par sa toute-puissante critique, Francisque Sarcey, meurt à son tour, et la nécrologie de l'oncle
Sarcey remplit toute la presse. Et ce pauvre Becque,
disent les journaux de l'époque, qui fut malheureux toute sa vie, n'a même pas eu la satisfac-

tion d'avoir eu beaucoup de monde à son enterre-
ment.

Huit jours après, on brise les scellés apposés
« sur l'appartement d'un célibataire sans postérité et sans ascendants », disent les gens de loi.
L'inventaire stipule : « On a trouvé dans une pièce
du fond un buste du défunt, un pot-au-feu et un
matelas, le tout prisé o fr. 50 ». Le buste était
l'œuvre de Rodin. « Une bibliothèque : 30 francs.
Une valise et quatre serviettes : 2 francs. Plus
trois bouteilles de vin Mariani ».

Qu'est-ce que vous dites de ça?

Le défunt laissait 53.000 francs de dettes.

Croyez-vous que c'est drôle?

Ce n'est pas fini :

1904. — La concession achetée au cimetière
du Père-Lachaise par la Société des Auteurs prend
fin. On veut donner à Becque une sépulture définitive, mais son corps reste introuvable à sa place,
dit le journal *Le Temps* ; dans la bière qu'on regardait comme la sienne, un capitaine de gendarmerie
dormait son sommeil sans fin.

Et ça continue :

1909. — La Comédie-Française va reprendre
La Parisienne. Ce sera un événement parisien.

Alors Mme Steinheil, de funèbre mémoire, choisit aussi ce jour-là pour déclarer : l'assassin, c'est moi.

En 1908, on a élevé un buste à Henry Becque. Il le disait lui-même de son vivant : « Ils pourront faire tout ce qu'ils voudront : j'aurai un jour ma statue ». Il l'a eue, en effet, inaugurée par Clemenceau, face au métropolitain de la place de Villiers ; mais elle n'a jamais connu le roucoulement des pigeons pacifiques ou l'amitié des moineaux parisiens ; seules les balles tirées lors de la manifestation pour Ferrer l'ont effleurée et la plus récente caresse qu'elle ait reçue a été celle du pare-choc et du radiateur d'un gros camion, qui, bondissant sur le terre-plein, projeta sinistrement ce buste sur la chaussée.

J'en passe. On n'ouvre pas sans appréhension un journal de l'époque. Au fur et à mesure qu'on feuillette le calendrier de la vie de Becque ou des représentations de son œuvre, on sent, inexorable et affreuse, l'Ananké grecque.

En vertu d'une étrange et mystérieuse conjuration, qui semble démoniaque, les hommages les plus déférents et les plus pieux pour sa mémoire tournent à la bouffonnerie.

1923, 1er *décembre*. — On doit célébrer au Salon d'Automne la mémoire d'Henry Becque. M. Léopold Lacour commence sa conférence, puis il la finit. Puis on attend, puis on attend encore ; et alors on annonce que M. Henry Paté, représentant le gouvernement, ne peut pas venir ; on annonce encore que Mlle Jeanne Rolly, malade, ne pourra jouer *La Parisienne* ; Mlle Charlotte Lysès, dépitée, part sans jouer *Les Honnêtes Femmes*. Et, dans un splendide tumulte, cette célébration tourne au scandale.

1925, 10 *février*. — Reprise des *Corbeaux* à la Comédie-Française. — *Le Gaulois* : « Il n'était bruit, hier après-midi, pendant la répétition générale de la pièce de Becque, que de la démission de Piérat et d'Alexandre ».

1935, 6 *février*. — La Comédie-Française va radio diffuser pour la première fois une pièce de son répertoire et ce sera *La Parisienne*. 6 février, anniversaire en effet, de la création de *La Parisienne !* Et les journaux s'étonnent avec raison qu'on ait choisi cette date anniversaire et cette pièce pour un premier essai de transmission de la Comédie-Française, cependant, que les auditeurs à l'écoute, la main sur le bouton de l'appareil, s'étonnent, eux aussi, d'entendre dans la boîte sonore une voix sépulcrale qui psalmodie étrangement les répliques des acteurs ; parce que les techniciens, en plaçant leur microphone, ont oublié cet autre parasite : le souffleur.

*
* *

Je dois arrêter ici la liste de ces catastrophes et rendre hommage maintenant à un biographe de Becque à qui je suis redevable de quelques-unes de mes informations. Ce biographe, qui est serbe, a, en effet, publié en 1927 trois gros in-octavo, d'un total de 1.500 pages, sur la vie et l'œuvre d'Henry Becque.

Oserai-je ajouter que je considère ce gigantesque travail comme le plus beau pavé de l'ours que je connaisse ?

Voici, à titre d'échantillon, par quelle pieuse interprétation, par quelle aveugle admiration le biographe a voulu, en la réhabilitant, nous révéler l'œuvre de Becque.

Pour nous parler de l'homme et de sa vie, pour en dire la poésie, il choisit ces vers de Becque :

Je suis né sur le haut d'un faubourg de la ville
Où l'insurrection en levant son drapeau
Trouvait l'homme debout, et le pavé docile...
Les balles de l'émeute ont brisé mon berceau.

J'ai vécu, tout enfant, oppressé par les plaintes,
Oppressé par les cris, dans les quartiers étroits,
Pleins d'hommes avinés et de femmes enceintes,
Où les linges troués pendaient au bord des toits.

J'ai fait, en vieillissant, le rêve d'être heureux,
J'ai quitté mes amis et je n'ai plus de chaîne,

Je regarde passer la comédie humaine
Et tous les scélérats se dévorant entre eux.

Je vis sur Les Corbeaux *et sur* La Parisienne,
Artiste indépendant, sincère et vigoureux.
J'ai fait preuve parfois d'un talent rigoureux
Et j'ai parlé toujours la langue la plus saine.

Pour nous montrer « *le sens de la vie* et *la gaieté de vivre* » que Becque porte en lui, le commentateur cite ces répliques des *Honnêtes femmes :*
« GENEVIÈVE. — Vous les connaissez, ses enfants, vous avez joué avec eux, des amours !
» LAMBERT. — Oui, j'ai aperçu dernièrement Mlle Berthe qui donnait une raclée à son frère.
» GENEVIÈVE. — Elle le bat comme plâtre. Deux amours ! »
Il y a, dit le commentateur, une sorte de clarté, comme du soleil dans ces répliques.
Pour nous montrer la puissance psychologique de Becque, il cite, dans *Les Polichinelles* :
CERFBIER, *après avoir dit* « *non* » *de la tête,* ajoute : « J'ai assez travaillé ».
« L'indication est ingénieuse et psychologique, dit le commentateur ; que de fois, dans la vie, on ne prononce pas *non*, on l'exprime par un balancement du corps, de la tête, ou en figurant la négation par un mouvement de l'index qui a l'air d'écrire dans l'espace. Cette façon montre que le

« non » vient de tout notre être et qu'on y met plus
d'insistance, de conviction, de sûreté. Rien n'aurait
pu empêcher Becque de mettre un « non » devant
cette phrase. « *Non*, j'ai assez travaillé ». Mais
l'observation attentive lui a dicté le contraire.
Un écrivain non psychologue eût agi autrement.
La Parisienne notamment abonde en gestes par-
lants. Une pose du corps, une main arrêtée au
moment où elle allait saisir quelque chose, un
haussement d'épaule, un frappement du pied
servent à l'expression artistique, aussi bien que
des paroles ».

Cette jolie citation donne le ton de l'ouvrage
du biographe.

Page 343. *La Parisienne :*

CLOTILDE. — « *Je suis mariée*, dit-elle, en
lui touchant le bras, *vous n'avez pas l'air de le
savoir* ».

« Ce doigt de Clotilde qui se pose sur le bras
de l'amant exigeant comme pour lui enfoncer l'idée
dans la chair ou comme pour secouer une vieille
habitude trop rassurée ou trop insoucieuse de ce
qui pourrait la menacer ou la détrôner, ce *en lui
touchant le bras* donne à tout le passage un surcroît de force expressive. Combien d'auteurs
auraient négligé ce mouvement accompagnateur
et indispensable cependant à la beauté de la peinture ».

Ceci encore, analogie avec Hugo :

« Becque, dit le commentateur, commence quelquefois ses poèmes à la manière d'Hugo : « C'était un beau vieillard » (chez Hugo : « C'était un vieux pasteur. »)

Un peu plus loin, analogie avec Balzac.

Mme BIROTTEAU : « Pourvu que cela dure », avait-elle l'habitude de dire, lorsque l'aisance comblait son ménage.

« Ça ne pouvait pas durer », dit Mme Vigneron, dans *Les Corbeaux*.

Le biographe voulant placer Becque à la suite de Molière, de Lesage et de Beaumarchais, montre que Becque a conservé au rôle du domestique le ton spirituel en honneur dans la vieille tradition du théâtre français. « Auguste, dans *Les Corbeaux*, dit-il, sait bien tourner son compliment à « sa jeune maîtresse » : « Mademoiselle n'a pas mis beaucoup de temps à sa toilette, mais elle l'a bien employé ».

Pour nous faire admirer le comique de Becque, et renchérir sur Labiche qui fait écrire à Perrichon sur le livre des voyageurs, la mer de Glace... mère, le biographe nous montre comment Becque fait rire son public par les mêmes procédés, mais en mieux :

Clarisse, dans *L'Enfant Prodigue*, écrit dans un billet : « Pouvez-vous vous contenter d'une existence si modeste lorsque vous devriez habiter un palait », palais avec un T ; et Clarisse dit en aparté au public : « C'est Agathe, une de mes amies, qui m'a fait mettre un T. Je voulais mettre un Z ». On le voit, s'écrie le biographe, plus fin que son maître, Becque double l'effet comique par cette correction.

J'arrête ici ces citations, aussi fastidieuses que naïves. Elles nous permettront de comprendre, maintenant, comment le commentateur a pu produire, sur l'œuvre de Becque, 1.500 pages dont la lecture, à la longue, finit par ajouter à ce sentiment de pénible disgrâce qui éclaire toute l'œuvre et la vie de l'auteur de *La Parisienne*.

Ces trois gros volumes ne font que délayer une accablante médiocrité et les sincères efforts de leur auteur, plongeant le lecteur dans des abîmes de consternation, sont, en vérité, pour Henry Becque, il n'y a pas d'autre mot, une nouvelle catastrophe.

Si j'ai aussi longuement insisté sur cette particulière et si constante malédiction, sur cette affreuse tristesse qui semblent peser sur le nom d'Henry Becque, c'est qu'elle me semble aussi expliquer son œuvre, qu'elle en donne le sens et la saveur véritables.

Lafant (M. Prudhon).   Clotilde (Mlle Reichenberg).

Reichenberg et Prud'hon dans une scène de la Parisienne
représentée à la Comédie Française en 1890. Dessir de Marold, gravé par H. Dochy.

(Le Théâtre illustré.)   *(Photo Pirot.)*

Comme nous nous représentons Homère aveugle et sans toit, Dante banni dans l'enfer de la rancune, Villon sous le gibet, Le Tasse dément et prisonnier, Camoëns naufragé, Cervantès infirme et pauvre, Racine disgrâcié, Corneille en savates, Beethoven sourd ou André Chénier sur la guillotine, de même, la postérité devra se représenter, médiocre et dénué, amer et maudit, l'auteur de *La Parisienne*.

Il y a une phrase que Péguy disait quelquefois et qui m'a toujours semblé avoir la vertu d'un talisman pour expliquer le secret des cœurs et des œuvres. Péguy disait : « Il n'a pas la grâce ».

Je ne fais pas de critique littéraire. C'est donc en homme de théâtre que je m'efforce de comprendre Becque et son œuvre. Or, au premier contact, cette œuvre, que ce soit *La Parisienne* ou *Les Corbeaux*, prend pour moi l'apparence d'une plante stérilisée.

Comme je parlais avec Berthe Bovy de la façon dont on répète Becque, elle me confia l'étrange contraste éprouvé entre le plaisir qu'elle avait à chercher un personnage durant les répétitions et la pénible difficulté qu'elle avait à jouer, ensuite, le personnage devant le public.

Becque n'a pas pu, ou n'a pas su laisser aux éléments de son œuvre leur libre jeu. Il se produit toujours dans une pièce une sorte de création seconde, après l'écriture — phénomène miraculeux

que l'esprit de l'auteur a déjà préparé en rêvant
son sujet — qui est implicitement contenue dans
les mots qu'il a écrits et que les répétitions sur
scène provoquent et cristallisent. Becque n'a pas
participé à cette alchimie du théâtre.

Ainsi, le mystère et la poésie n'ont aucune
part dans le théâtre de Becque.

Il nous a avoué lui-même comment il compo-
sait ses comédies : « La pièce où je me tenais, et
qui était fort belle, était meublée d'une planchette
de bois retenue au mur, d'un fauteuil et d'une
canne, rien de plus. Je l'arpentais du matin au
soir, avec une légère excitation qui m'est naturelle et dont j'ai besoin. Le plus souvent *je tra-
vaillais devant ma glace ;* je cherchais jusqu'aux
gestes de mes personnages et j'attendais que le
mot juste, la phrase exacte me vinssent sur les
lèvres. Tout ce que je veux, en écrivant, *c'est me
satisfaire moi-même ;* je ne connais plus rien,
ni personne, *je ne sais seulement pas s'il y a un
public* ». Eh bien, c'est aussi cet oubli du public
et ce travail devant la glace qui ont stérilisé ses
œuvres.

Becque, amer et tourmenté, ne sait pas et ne
veut pas dire ce qu'il est. On retrouve cette angoisse
dans plusieurs de ses lettres et notamment dans
l'une d'elles qu'il écrivit à Rodenbach : « Je suis
un poète manqué... j'aimerais mieux être soldat
que littérateur... je me suis fait un petit nom à

un âge où un homme n'a plus d'autre joujou ».

Becque souffre d'une maladie indéfinissable, mais uniquement spirituelle. Il y a, dans son art, trop de science et ce terrible souci de vérité, ce goût du réalisme photographique qui rapetisse les œuvres.

L'explication de tout ceci est dans la phrase de Péguy : « Becque n'a pas eu la grâce ». Il n'y a pas de grâce dans ses œuvres, ni dans ses personnages.

La grâce : « Ce qui ne s'acquiert ni ne se perd à aucun prix », dit quelque part André Suarès, « ce grand sourire intérieur, cet enchantement, cette magie, ce je ne sais quoi qui plaît à l'âme en passant par les sens, ce charme qui vient de la nature et ne peut être emprunté, ce rayon de soleil, cette part de Dieu, cette prédestination des élus, cette divine visitation ». « Et la grâce, dit La Fontaine, plus belle encore que la beauté ».

Ce don merveilleux qui fait que l'on dit le doux ou le tendre Racine, le grand Corneille ou l'enchanteur Shakespeare, Becque ne l'a pas eu. On dit Becque tout court.

Becque, en dépit de sa lettre à Rodenbach, se croyait poète ; mais on découvre chez lui une tragique impuissance à se délivrer poétiquement.

Becque n'a jamais pu se délivrer et c'est peut-être dans cette impuissance qu'il faut chercher la cause de ce que Pierre Brisson appelait certain jour, fort justement : « son fanatisme de l'amertume ».

J'irai plus loin dans cette théorie de la disgrâce, dans cette métaphysique de la malchance : Becque n'a jamais eu de chance parce qu'il a négligé la loi essentielle de la chance qui veut qu'on lui fasse confiance, qu'on lui sourie et qu'on l'espère.

Becque n'a jamais su sourire ; il s'est entêté dans une disgrâce volontaire ; habillé en porc-épic, il a boudé la chance ; il s'est, tout le long de sa vie, hérissé et retroussé.

Il y a dans le gracieux *Intermezzo* de Jean Giraudoux une explication de l'ordre de l'univers dont la touchante simplicité rappelle les mythes égyptiens ou persans :

La charmante Isabelle enseigne à ses élèves à ne pas croire à l'injustice de la nature ; la puissance, l'esprit qui préside à toutes les manifestations de la nature, elle l'appelle l'Ensemblier ; mais il y a un second personnage malin et invisible pour expliquer les petits ennuis et les petites surprises de la vie. Vous savez, dit-elle, « celui qui claque les volets la nuit, ou amène un vieux monsieur à s'asseoir dans la tarte aux prunes posée, par négligence, sur une chaise » : il s'appelle Arthur.

Avec Arthur et l'Ensemblier, on expliquerait toutes les destinées.

Eh bien, Becque n'a pas pu concevoir l'Ensemblier ; il n'en a même jamais eu l'idée, et toute
sa vie est remplie par la hantise d'Arthur, un
Arthur personnel à Becque, un Arthur dont la
malice s'est exercée sur lui avec une persévérance
d'autant plus acharnée que le pauvre Becque
accusait amèrement ses taquineries, au point qu'il
aurait lui-même, je crois, posé la tarte aux prunes
sur la chaise, pour avoir le plaisir amer de s'asseoir
dedans.

Cette disgrâce de Becque, il faut le dire à sa
décharge, a été aussi celle de son époque. J'éprouve
comme un soulagement à l'idée d'avoir échappé
moi-même à ces années qui fuient encore sous nos
yeux et dont le sillage n'est pas tout à fait effacé.
Car, ce qu'on a appelé l'Année terrible me semble,
à moi, se prolonger jusqu'au début du vingtième
siècle. Il n'y a pas d'homme assez grand pour
dominer cette époque.

A l'heure où Becque va pouvoir prendre rang
parmi les écrivains, le romantisme meurt avec
Barbey d'Aurevilly, avec Wagner, avec Manet,
avec Gustave Doré et Victor Hugo ; en Russie
Dostoïewski vient de s'éteindre ; mais Zola triomphe avec *Germinal*, Sardou avec *Théodora* ; Bar-
tholdi éclaire le monde avec sa statue de la Liberté ;
Paul Bourget publie *Cruelle Enigme* ; Labiche,
Dennery, Dumas et Jean Aicard règnent sur nos
théâtres ; on vient de fêter la trois-centième du

Maître de Forges ; on va représenter *Serge Panine* ;
Oscar Meténier, l'apôtre du théâtre réaliste, ce
précurseur du Musée Grévin, donne au théâtre
les premiers drames réalistes : *La Casserole* et *En
Famille* ; Jules Renard, parfait disciple de H. Becque, va nous avouer sous peu qu'il se fait gloire
d'être sourd en musique et aveugle en peinture.
Pelléas sera pour lui le comble de l'ennui ; la
musique que va faire Maurice Ravel sur ses Histoires
Naturelles ne le touche pas, Cézanne est un barbare, Rodin et Claude Monet le laissent froid ; il
passera un an à Bourges sans regarder la cathé-
drale ; même les rayons Rœntgen seront, pour le
père de *Poil de Carotte,* une plaisanterie enfantine.

C'est l'époque de Catulle Mendès, de Laurent
Tailhade, de l'anarchiste Edouard Vaillant, du
Sar Péladan, de Léon Bloy, de Bergerat et d'Octave
Mirbeau. L'affaire Dreyfus va éclater ; le style
bouche de métro, arabesque et vermicelle, fleurira
bientôt. On vient de terminer le Trocadéro. Tout
le monde porte des bottines à boutons.

Voilà l'époque où Henry Becque a vécu. Il
y a bien, dans un semblable climat, des circonstances atténuantes à sa tristesse et à son amertume, si le mot climat peut être pris ici dans son
sens véritable : un ensemble de circonstances
atmosphériques où se trouve placé l'esprit de
l'homme.

« Un auteur dramatique, disait Becque, est

un homme dont l'instinct, dont le génie, dont la fonction est de représenter ses semblables ». L'unique préoccupation de Becque a été de nous donner une photographie très précise de son époque. Il fut, avant tout, un réaliste ; mais le réalisme, dans l'art, ça n'existe pas ! Or, l'époque était réaliste et, de plus, l'époque était lamentable.

Un comédien qui lit une pièce a immédiatement le sentiment de l'atmosphère dans laquelle elle a été créée. En lisant les œuvres de Becque, il me semble que j'entends inlassablement résonner un glas funèbre. Et nous retrouvons chez tous ses pauvres héros ce goût du crêpe et de la cendre que Becque et son époque cultivèrent religieusement, se complaisant dans une tristesse qui n'avait plus rien de commun avec le romantisme.

Stéphane Mallarmé, chargé de la critique dramatique dans je ne sais plus quelle revue, et à qui on reprochait de ne pas aller voir les pièces dont il faisait le compte rendu, répondit : « Pourquoi voulez-vous que j'aille passer trois heures avec des gens chez qui je n'irais pas déjeuner? » Que ce soient ceux des *Corbeaux* ou de *La Parisienne*, on n'a pas la moindre envie d'être en tête-à-tête avec eux.

Lorsque j'ai mis un élève ou un jeune comédien en confiance, il m'arrive souvent de lui demander, pour que son « culte du héros » me révèle sa mentalité profonde : « Quel est, dans le répertoire

théâtral, le personnage que tu souhaiterais ÊTRE? »
Dans toutes les réponses ou les confessions qui
m'ont été faites, jamais, parmi ces personnages,
ces héros, je n'ai entendu le nom d'un personnage
de Becque.

Anatole France écrivait : « Les personnages
de Becque sont pauvres, étriqués, mesquins et
parfaitement vulgaires ! Je me figure qu'ils habitent
dans de petites rues étroites et sombres, où la vie
se fait toute menue, où les vices eux-mêmes se
replient sournoisement, faute d'espace pour s'étaler ».

Et Claude Berton a très justement écrit :
« Becque n'aimait pas les personnages de ses fic-
tions. On ne le sentait animé pour ses héros ni
de tendresse, ni de bonne grâce, ni d'indulgence ».
(Même sa Clotilde de *La Parisienne*, il ne l'a pas
aimée : elle en souffre, et nous avec elle.) « L'écrivain, et surtout l'écrivain de théâtre qui s'adresse
directement au public, si violente et si passionnée,
si puissamment satirique que soit son œuvre, y
doit mettre un peu d'amour pour les hommes... »

Et c'est pourquoi *La Parisienne* nous laisse
un goût de cendres dans la bouche. On n'y trouve
rien qui aide à vivre. Cette comédie suscite l'admiration, mais rien en elle ne réchauffe le cœur ni
l'esprit. On n'a pas envie de fréquenter ces personnages, ce ne sont pas des amis.

Il y a, dans la vie de Becque, une anecdote

qui illustre bien tristement ce sentiment de désaffection, ce manque d'attirance ou de sympathie.

Becque a aimé, au moins une fois, une femme du monde qu'après une cour assidue il avait décidée à venir chez lui. Ayant emprunté, ce jour-là, un peu d'argent pour les frais de fleurs et de petits gâteaux, il attendit l'heure du rendez-vous ; il attendit désespérément toute la journée ; enfin, vers le soir, n'y tenant plus, il descendit chez sa concierge.

— Il n'est venu personne pour me demander?

— Si fait ; il est venu pour vous une belle dame en voiture ; elle a demandé M. Becque. Je lui ai répondu : sixième à droite. Elle a dit : «C'est trop haut ! » et elle est repartie.

Voici maintenant quelques précisions sur la création de *La Parisienne* :

Le 7 février 1885, *La Parisienne* succéda au théâtre de la Renaissance au *Voyage au Caucase* d'Émile Blavet. (C'est la dernière en date des pièces de Becque, puisque *Les Polichinelles*, auxquels il travailla laborieusement jusqu'à sa mort, en 1899, ne furent jamais terminés.) Ce fut sur la demande d'Émile Perrin, administrateur de la Comédie-Française, que Becque se mit à écrire *La Parisienne*. Il y travailla plus de deux longues années. La Comédie-Française refusa la pièce. Croyez-vous que c'est drôle?

Samuel, qui venait de prendre la direction de la Renaissance, reçut la pièce et la mit en répétition au début de l'année. Becque, huit jours avant la générale, écrit :

« Je suis le prisonnier, en attendant que je sois la victime, d'artistes insuffisants et d'un directeur dans l'embarras qui veut passer samedi. »

Et maintenant, voici la version du directeur :

« Oh ! ces répétitions ! Tant que je vivrai, j'en garderai le souvenir. Les pauvres interprètes en étaient arrivés à trembler, comme moi, devant cet auteur jamais satisfait, rêvant une mise en scène à lui, marchant à pieds joints sur tous les usages du théâtre.

« Enfin la répétition générale arriva (le 6 février). Je lui dis : « Mon ami, votre mission est accomplie. Passons dans la salle et devenons public. Nous jugerons comme si cette pièce n'était pas de vous, suivant l'effet qu'elle produira ».

» Ah bien oui ! Becque se souciait fort peu des gens qui étaient dans la salle. Il resta à l'avant-scène, et continua à faire des observations, entrant dans des colères bleues.

» Vers une heure du matin, la répétition fut terminée et le public n'avait pas pu entendre un mot de la pièce. Mes amis me serraient fortement les mains, me plaignant d'avoir reçu cet ouvrage vide. Nous allions nous retirer quand Becque nous retint et, devant les artistes énervés, il se mit à jouer, tout seul, sa pièce. Cela dura deux heures.

» Enfin il nous lâcha. Nous étions tous navrés et éreintés. Je dis aux artistes : « Demain, à une heure, nous répéterons entre nous... et nous verrons clair. »

« — On répète demain? demanda Becque.

» — Non, non, lui répondis-je. Il faut que vos interprètes se reposent.

» Le lendemain, les artistes étaient là à l'heure. Enfin, nous étions entre nous. Nous allions pouvoir travailler à notre aise.

» Tout à coup, un vacarme épouvantable éclate à la cantonade et mon concierge arrive, tout haletant, me dire que M. Becque, à qui il avait assuré qu'il n'y avait personne, était entré quand même. Becque apparut en effet, furieux de cette répétition secrète ; puis le voilà qui reprend sa place à l'avant-scène et qui recommence ses interruptions.

» Je me sauvai et m'enfermai à clef dans mon cabinet, abandonnant mes malheureux interprètes à cet auteur barbare et têtu. »

« Le soir — raconte Samuel — *La Parisienne* obtint un succès immense devant le public et la critique... »

Voici ce qu'en dit Antoine dans ses *Souve-*

nirs : « La pièce est créée par une troupe recrutée un peu de bric et de broc ; c'est un comédien de province, chanteur d'opérette et créateur des *Cloches de Corneville*, Vois, qui a l'honneur de créer Lafont ; un acteur assez vulgaire, Bartel, joue le mari, et Mlle Antonine restera longtemps l'incarnation parfaite du rôle de Clotilde. Beaucoup de comédiennes, dans la suite, Réjane surtout, avec son esprit endiablé et Mlle Cerny avec sa grâce câline, y seront applaudies ; mais l'une trop brillante, l'autre trop coquette, ne réaliseront peut-être pas complètement la bourgeoise qu'est Clotilde et qu'Antonine incarna à miracle. Galipaux créa Simpson ».

L'origine de *La Parisienne* et son sujet sont déjà dans la critique qu'a faite Henry Becque d'une pièce de Daudet (tirée de son roman) *Fromont jeune et Risler aîné*. En voici le passage essentiel : « Cette Sydonie, quelle créature !... Jolie, elle sait ce que vaut la beauté et entend bien recevoir le prix de la sienne. Elle ne manque pas seulement de moralité et de principes, elle n'a pas de cœur. Les femmes comme Sydonie vont loin : elles sont capables, à une heure donnée, de se défaire de leurs maris ; en attendant elles les trompent et les déshonorent. Elle se marie avec

Risler ; ce mariage n'est pas une fin pour elle,
c'est un commencement. L'aisance, le bien-être,
les satisfactions d'une vie honorable ne sauraient
lui suffire. Elle a un mari, il lui faut un amant ;
Fromont est là, sous sa main, ce sera lui. Nous
voyons alors Sydonie satisfaite et triomphante,
partagée entre deux hommes qu'elle subjugue
également : l'un, le mari soumis et aveugle ; l'autre,
l'amant borné et dompté.

« Cette situation serait bien périlleuse pour
une autre que pour elle. Sydonie la sauve par son
audace même ; l'audace, en pareil cas, c'est la
prudence. »

Pour définir cette pièce *roide* comme on
disait à l'époque, Copeau me permettra de lui
emprunter sa définition lapidaire du *Misanthrope* :
« C'est un monsieur qui veut parler à une dame
et qui n'y arrive pas ».

Le monsieur, c'est Lafont, homme incolore
et dépourvu de toutes les grâces de l'amant. La
dame, c'est une manière de Bovary parisienne.

Il est inutile, je crois, d'insister sur le choix
maladroit du titre. Arthur a dû le souffler à Becque.
On a assez dit que ce n'était pas la parisienne.

Clotilde, c'est la Coquette : un des thèmes
éternels du théâtre. C'est Célimène, mais Célimène vue à l'époque d'Émile Zola. Becque, pour
compléter le triangle, a imaginé un pauvre mari,

dépourvu de toutes les grâces du mari, et même de celles du cocu.

Je m'en voudrais d'insister sur ces personnages sordides.

Mais, où est le miracle, c'est que cet homme, qui a été faussé par son époque, qui n'a aucune grâce, aucun lyrisme, qui nous propose des personnages écœurants, ait tout de même su nous intéresser.

Becque a su garder à ce thème son unité et sa pureté. Il ne nous a pas conté une anecdote brodée de multiples détails qui l'auraient rétrécie, et c'est là la vraie grandeur de sa pièce, une des principales raisons pour lesquelles elle subsiste. Becque visait au réalisme ; et la plus parfaite de ses pièces est la moins réaliste et c'est celle qui restera.

Car *La Parisienne*, en dépit de tout ce qui dessèche ou dessert cette œuvre — et peut-être à cause même de cette disgrâce constante, qui atteint ici l'efficacité d'une réelle vertu — est incontestablement le chef-d'œuvre de l'époque réaliste.

Becque y fait figure de grand moraliste : l'escrime psychologique des personnages, le dessin des scènes et leur agencement, nous passionnent, et il atteint ici une écriture dramatique parfaite.

Il n'est rien de tel, pour pouvoir juger de la

vertu et de la valeur d'un texte dramatique, que d'entendre, au matin, dans les murs nus d'une classe du Conservatoire, les élèves s'essayer dans les scènes diverses que permet le règlement. De l'époque réaliste, Becque seul subsiste. Sa langue, son style, ses répliques, son éloquence dramatique dans *La Parisienne*, font paraître bien désuète ou bien pauvre l'écriture de Brieux, de Bataille, d'Hervieu ou de Jules Lemaître.

On ne peut rien changer à cette œuvre ; on ne la referait pas. Elle a, dans son dépouillement, une réelle grandeur, une véritable pureté.

Nous rejoignons l'austérité et la simplicité qui caractérisent le théâtre classique.

Pas de mise en scène : le spectacle n'existe pas ; point besoin d'accessoires ou de décors alléchants : avec un secrétaire, une clef, une lettre et une tasse de café, on peut jouer la pièce, comme *L'Ecole des Femmes*, avec une lettre, une bourse et des jetons, et *Le Misanthrope* avec six chaises et un billet. La mise en scène, cette espèce de séduction dont on saupoudre la pièce pour allécher le public, est ici inutile.

Becque a su retrouver les formes pures de la technique ; il a dépouillé l'art dramatique d'éléments secondaires, pour ne garder que les éléments psychologiques, et il atteint à la rigueur de l'époque classique.

En se dépouillant du pathétique, il arrive quand même à une certaine grandeur. Ce miracle est dû à un travail obstiné et à une grande honnêteté dramatique.

O paradoxe ! Ce qui l'a servi, ce qui lui permet d'être un classique mineur, ce sont justement ses défauts — ses qualités négatives, si j'ose dire, poussées à un très haut degré. C'est ce qu'il y a de sec, de pauvre et de triste dans son talent qui donne à son œuvre sa valeur. Ses personnages, espèces de commis aux écritures, peuvent se livrer à une escrime psychologique qui apparente Becque à Molière, à Beaumarchais et à Marivaux. Son système dramatique peut être comparé à celui de Molière ; et la première scène *ex abrupto*, de *La Parisienne*, cette « attaque en falaise », comme disait Péguy, est de la même veine et du même ton que le début du *Misanthrope* : c'est de l'art dramatique pur.

Becque aimait profondément Molière : « Si je m'écoutais, je n'aurais pas d'autre auteur dans ma bibliothèque », écrivait-il.

Il y a encore, pour un homme de théâtre, un indice caractéristique du classicisme de Becque : les personnages n'ont pas d'*emploi physique*, c'est-à-dire que le physique de l'acteur importe peu pour l'exécution du rôle. Qu'Alceste soit grand ou petit, Oronte maigre ou gras, cela est indifférent. Il suffit que le comédien prenne le ton, l'humeur et l'esprit du personnage pour en donner parfaitement le dessin dramatique et faire vivre l'intrigue. Antonine, la créatrice du rôle, était une personne d'importance. Mais Reichenberg, qui reprit le rôle à la Comédie-Française, était assez fine et menue pour jouer Eliacin, dont Mme Berthe Bovy exprime, elle aussi, merveilleusement l'incomparable poésie. Pierre Lièvre dit : « *La Parisienne* ne manque pas d'une certaine apparence éternelle. Elle la doit d'abord à la simplicité de sa donnée et au caractère permanent des sentiments comme des situations qu'elle expose ; ensuite à la nature de son style, à la fois puissant et incolore, où, par l'effet d'un choix exceptionnellement rigoureux, ne figurent point d'idées, ni de mots exposés au vieillissement.

» Cinquante ans sont passés depuis sa création, et malgré les mauvais sorts, les chutes retentissantes, après bien des pérégrinations, en dépit d'un insuccès persévérant du point de vue financier, *La Parisienne*, le chef-d'œuvre de Becque, nous montrant qu'il n'y a pas de chef-d'œuvre méconnu, prend rang dans le répertoire des ouvrages qui constituent la littérature dramatique française, en revenant glorieusement prendre place à la Comédie-Française. On l'y entendra plus longtemps que *Mademoiselle de la Seiglière*, que *L'Abbé Constantin*, ou que *Le Monde où l'on s'ennuie* ».

Je m'arrête. J'ai l'impression d'avoir parlé de la mauvaise humeur, de ses causes et de son influence, ou de l'origine et des conséquences de la disgrâce. Je souhaite de tout cœur, pour ma part, qu'un jour, à la louange d'Henry Becque et à l'usage des débutants dans notre profession, quelqu'un écrive sa biographie dans un pieux sentiment. On pourrait justement l'intituler : *De l'honnêteté du métier dramatique*, ou encore : *Henry Becque, ou de l'amertume, avec la manière de s'en servir*, ou peut-être : *De la disgrâce considérée comme un succédané de la vocation.*

Becque me pardonnera, je l'espère, ma détestation : elle me semble la doublure d'un sentiment que le temps va transmuer en respect et en vénération.

2ÈME PARTIE

2ᵐᵉ PARTIE

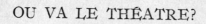

OU VA LE THÉATRE?

La répétition vient de finir. Je suis remonté dans mon bureau, où soudain entre Pierre Renoir. Il vient, comme d'habitude, parler avec moi du travail.

— Où va le théâtre d'aujourd'hui? lui dis-je.

Il me regarde un instant avec son calme passionné :

— Qu'est-ce que ça peut bien te faire? répond-il.

— C'est parce qu'on me le demande.

— Des gens sérieux?

— Très sérieux.

— Alors dis-leur qu'ils attendent cinquante ans pour le savoir.

— Mais c'est justement parce qu'ils voudraient le savoir tout de suite.

Il a l'air de réfléchir, puis il me dit : « On ne peut jamais savoir où l'on va, mais tu peux leur dire d'où l'on vient, c'est déjà ça... »

— Oui, c'est une façon de faire le point.

— En tous cas, notre époque n'est pas une époque d'innovation. C'est ce qu'il y a de rassurant.

— Nous ne sommes donc pas des novateurs?

— En aucune façon. Et je te le répète, c'est ce qu'il y a de plus réconfortant.

Et comme il n'aime guère ce genre de conversations, Renoir est sorti avec cette indifférence apparente par quoi on pourrait le définir.

Je restai seul, à réfléchir sur ces propos. Je n'ai guère l'habitude de me poser de semblables questions : Où va le théâtre d'aujourd'hui?

Dans une interview obligée, on s'en tire par quelques moulinets de paroles, quelques propos vagues émis en termes généraux, qui suffisent à noircir un peu de papier, satisfont l'interviewer et comblent le loisir du lecteur. Mais c'est une toute autre affaire si l'on veut réfléchir sérieusement.

Le professionnel, dès qu'il est appelé à se prononcer sur son métier, ne pense plus qu'à la compréhension particulière qu'il en a, et son jugement ne s'exerce qu'en comparant sa technique personnelle à celle de ses devanciers. Pour un homme de théâtre, le théâtre de l'avenir est celui qu'il fait, ou qu'il ambitionne de faire ; et il donne inconsciemment comme règles de l'art ses propres goûts ou ses propres méthodes de travail.

Voilà ce qu'il est peut-être le plus important de s'avouer à soi-même avant de se prononcer, et ce qu'il est le plus nécessaire d'avouer à la clairvoyance de ceux qui vous interrogent.

On ne meurt que par indifférence ou par une décomposition qui en est le prolongement... C'est de quoi, voici trente ans, le théâtre était menacé. Décomposition d'une convention qui avait fait jusque-là sa noblesse ; raréfaction ou indifférence des spectateurs et indifférence aussi des pouvoirs publics. Le théâtre n'est prospère que dans la contrainte ou dans la protection : il macérait dans l'indifférence.

Issue du réalisme poétique du Moyen-Age (où fleurissait cependant, par le sentiment religieux, par l'allégorie et par le symbole, une vraie poésie dramatique) la convention théâtrale — cet accord, ce consentement harmonieux et équilibré entre un public, des acteurs et des auteurs — avait atteint, au XVIIe siècle, un point de perfection et de pureté que l'on n'a jamais retrouvé et qui s'exprime par un rapport spirituel unique entre une écriture et une exécution qui nous servent encore d'exemples.

Puis, peu à peu, dans une série d'évolutions décroissantes, le théâtre a reflété ces époques successives où Marivaux et Voltaire puis Beaumarchais et Hugo, puis Musset et Alexandre Dumas, puis Émile Augier, puis Eugène Manuel, ont fait avec le public une conversation où les sentiments, les idées et le langage s'infléchissaient de plus en plus, jusqu'au dialogue de Zola et d'Oscar Métenier, jusqu'à ce naturalisme, expression parfaite

du théâtre qui nous a précédés et qui s'intitulait :
Théâtre Libre.

Et c'est la loi et la règle même du théâtre
d'être contraint, d'époque en époque, à osciller
dans une constante alternative entre le symbole
ou le réel, — de chercher son style, ses modes,
son expression, et sa vérité particulière entre une
fiction menteuse ou un simulacre vrai — entre
l'irréel de la poésie ou un tri de la réalité : c'est
l'histoire du théâtre.

« Théâtre Libre ». Curieuse époque, éprise
de sciences exactes, soucieuse de vérités démon-
trables et vérifiables, qui découvrit, avec le vélo-
cipède et le phonographe, la pièce à thèse et la
pièce sociale et engendra le théâtre d'idées. Étrange
liberté de ce Théâtre Libre conquise par des décors
qui voulaient être vrais, munis de vraies portes
et de vraies fenêtres, ornés de vrais végétaux,
meublés de vrais animaux ; où l'art consistait à
répandre une pluie véritable sur la scène, à montrer
une boucherie avec de vrais cadavres d'animaux,
des vraies soutes avec du vrai charbon, des lavoirs
avec de l'eau où l'on peut laver son linge, des
mastroquets avec de véritables comptoirs de zinc ;
— où chaque pièce amenait une flore et une faune
authentiques, où le géranium et le mouton, les
roseaux et le bœuf, les poules, le canard et le
poussin et le lapin, installés sur la scène dans un
naturel dérisoire, participaient à la cérémonie dra-

matique et communiaient avec des célébrations,
dont les conflits ouvriers, les tableaux de grève,
la famille, le divorce, la syphilis et le féminisme
étaient les thèmes essentiels.

« Oui, Monsieur, s'écriait avec véhémence
le directeur, je reconnais le bien-fondé de vos critiques sur cette pièce ; le héros n'est peut-être pas
d'une psychologie très étudiée (le héros était en
l'espèce un professeur de lycée). Oui, Monsieur !
Mais au troisième acte, au troisième acte, hein !...
il couche avec la bonne ! »

C'est la période de la « tranche de vie ».

Amoindrissement du spirituel, mort de l'imagination et du merveilleux, avilissement et vulga-
rité du langage, tels sont les caractères essentiels
de cette époque.

Abandonnée par la poésie, dépouillée de sa
magie, cette merveilleuse convention théâtrale
que nous avaient léguée les classiques semble à
jamais perdue, et son caractère spirituel est rem-
placé par une convention nouvelle, une innovation que la recherche de la vérité apporte à nos
prédécesseurs : l'invention, la découverte du quatrième mur de la scène. Pouvoir représenter une
pièce comme si son action s'accomplissait réellement, et que le spectateur ait l'impression d'y
assister par indiscrétion ou par surprise, telle était
la plus parfaite ambition de cet art dramatique
où l'acteur n'avait plus à faire agir son personnage

qu'afin de permettre au public de se donner l'âme d'un voyeur.

Nos prédécesseurs étaient bien des novateurs.

Le théâtre venait de perdre sa vérité au profit d'une exactitude et d'une vraisemblance qui allaient tuer et abolir la vraie illusion du théâtre. Le règne du spirituel s'écroulait : le Théâtre Libre annoncé par la photographie était l'ange annonciateur du cinéma.

Et le cinéma vint, machine-outil toute neuve, monstre dévorateur de matière dramatique sous toutes ses formes. Le Théâtre Libre la lui fournit. De ce cocon, en effet, sortit tout à coup l'éclatant papillon qui, aujourd'hui, inlassablement, palpite sur ce quatrième mur qui s'est matérialisé.

Le naturalisme, déjà mort-né à sa naissance, était mort parce qu'il n'était qu'un aboutissement. Les fidèles qui voulaient croire à ce nouveau messie exaltèrent longtemps leur croyance, en s'envoyant cette dépêche si connue : « Naturalisme pas mort ». Ce télégramme-scie est, aujourd'hui, un faire-part définitif.

Nos prédécesseurs étaient bien des novateurs.

Si le théâtre d'aujourd'hui tend vers quelque chose, c'est vers une vie où le spirituel paraît avoir reconquis ses droits sur le matériel, le verbe sur le jeu, le texte sur le spectacle, c'est vers une convention dramatique faite de poésie, de grâce et de noblesse.

La scène française est, aujourd'hui, sans histoire. Le temporel ne s'y accuse que par un retour à la préoccupation dramatique, qui est celle des grandes époques, à ces problèmes éternels, à ces préoccupations humaines qui créent entre des hommes assemblés une entente secrète, un plaisir commun et partagé, où la sensibilité et la sympathie s'échangent et se répondent. C'est un retour à la vraie tradition du théâtre. C'est une époque de rééducation. Quelques auteurs sont restés, qui ont gardé le goût de l'écriture et de la pensée, le sens de l'éloquence dramatique, l'art d'inventer des actions où les personnages s'offrent à nous sans autre intention que de s'avouer, de se confesser pour le bénéfice de nos sentiments et de nos émotions, pour ce divertissement de qualité où le spectateur, aussi bien que l'acteur, retrouve sa qualité d'homme et de semblable, où la cérémonie théâtrale reprend un peu de la distinction et de la noblesse de ses premières célébrations. Le théâtre rejoue un rôle dans la nation, en contribuant à sa vie spirituelle, en assumant à nouveau et sans honte son rôle culturel et sa mission.

La sensibilité et l'intelligence, qui sont, après tout, les immortels ingrédients de la vraie grandeur, viennent de réapparaître sur la scène française.

J'en étais là de mes réflexions quand Renoir revint :

— Où en es-tu? me dit-il.

— J'en suis à cette idée que nous ne sommes pas des novateurs. Je crois que tu as raison : nous sommes des continuateurs.

— Si tu veux, c'est plus joli.

— Mais qu'est-ce, crois-tu, qu'un novateur?

— C'est un homme qui déteste ses prédécesseurs.

— Ce n'est pas mon cas, fis-je.

— Attends, il y a une autre condition : un vrai novateur déteste encore davantage ses successeurs.

— Ce ne sera pas mon fait.

— Tu n'en sais rien ; peut-être seras-tu pire que les autres.

— C'est possible, dis-je, mais ce sera regrettable ; on n'a jamais rien fait avec de la haine.

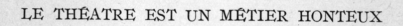

LE THÉATRE EST UN MÉTIER HONTEUX

Et c'est ici la vraie histoire du théâtre que je veux dire. J'ai mis bien des années à l'apprendre.

« Le Théâtre est un métier honteux. »

Cette phrase qui est une transition dans mon esprit et une rengaine dans toutes les familles a servi d'introduction à ma carrière.

C'est par cette phrase que j'ai abordé le théâtre : « Le théâtre est un métier honteux ». C'est le refrain de ma jeunesse. Toute ma famille en chœur me l'a chanté et répété avec toutes les variations que comporte l'art de la fugue ; par l'usage immodéré qu'on en faisait autour de moi, le sens de ce qualificatif avait acquis une patine qui le rendait presque candide.

« Le Théâtre est un métier honteux. »

Aujourd'hui, quand je l'entends, je retrouve encore, dans ce placard à sensations qu'est ma mémoire, l'impression physique de toucher au fond des poches de ma culotte les vieux galets polis qui ne me quittaient jamais. J'écoutais la fugue sur la honte en les polissant sournoisement et le mot et les galets s'égrenaient et s'y lissaient dans une agréable indifférence qui me revient encore au bout des doigts.

Plus tard, il me fallut choisir entre la médecine ou la pharmacie, entre Hippocrate ou Galien — mes oncles étant à la fois leurs représentants et leurs disciples. J'hésitais tant que je pouvais mais « le théâtre étant un métier honteux », les autres membres de ma famille s'acharnaient à me découvrir une vocation entre la carrière d'amiral couronnée d'honneurs et suivie d'une belle retraite, et la vie de dominicain qui, disait une de mes tantes, m'assurait les récompenses célestes. « Le théâtre est un métier honteux »...

Je crois que le mot de « honte » est une appellation vague, incommode ou trop générique pour un adolescent, en tous cas d'un emploi délicat. Je continuais à préférer le théâtre ; ni moine, ni marin ; je m'en tenais, dans une obstination vague, au métier de comédien, en dépit de l'uniforme séduisant du Borda et malgré les menaces de l'Enfer.

Le théâtre me paraissait une carrière riche, pleine de luxe, une vie facile, d'une gloire plus variée et plus accessible que celle des marins ; quant aux béatitudes promises par l'Église, malgré la séduction de l'humilité exigée, elles étaient sans doute trop lointaines pour tenter ma jeunesse avide.

Bref, je croyais que le théâtre allait, en me délivrant de l'odeur fade des plantes sèches et

des relents des médicaments, des patients pénibles
et affligés que je voyais dans la salle d'attente de
mon oncle, me libérer, aussi, de toutes les mesqui-
neries de la vie et du ridicule provincial que je
voulais fuir. Je pensais que le théâtre allait me
délivrer de toute une quotidienneté pauvre et
irritante qu'on ne supporte à cet âge qu'en faisant retraite à toute heure du jour sous les marronniers du fond du jardin ou dans l'étrange et paisible
grenier familial.

Dans l'inaction, la solitude bienfaisante et
la tranquillité souhaitée de ces royaumes de mon
enfance, je recomposais la vie à mon idée en la
faisant à l'image de mes rêves.

La « honte » du théâtre, à quoi j'essayais de
réfléchir, finissait par m'attirer.

Je défierais le déshonneur, et je prouverais
à toute ma famille qu'il n'y a point de honte à
réciter des vers, — ni aucune indignité à faire circuler en soi les sentiments que Shakespeare, Racine,
Molière ou Musset ont tiré de leur cœur.

Un beau jour, les chanteurs de la honte, lassés
et découragés, m'ont laissé partir. Je l'ai fait
discrètement et poliment. Ayant pris avec doci-
lité mes inscriptions aux Facultés et promis loya-
lement de m'instruire dans l'art de soulager l'humanité souffrante, je suis allé rôder autour des théâtres.

En y entrant, je n'ai pas vu la honte. J'avais
sans doute trop d'ardeur en moi ou trop de récom-

penses sous les yeux ; tout m'était enchanteur ; et cet enchantement, malgré vicissitudes, découragements ou lassitudes, ne m'a jamais quitté ; il me nourrit et me soutient tous les jours.

Pendant bien des années, avec prudence, j'ai guetté, en la redoutant, cette honte annoncée et promise par ma famille ; je ne l'ai jamais vue, mais j'ai fait connaissance avec le dérisoire et avec le ridicule : j'ai acquis de la sincérité une compréhension et un usage nouveaux. J'ai apprécié les rapports et la proportion entre le faux semblant et l'authentique. J'ai découvert une vérité qui n'est pas celle de tous les jours. C'était celle que je cherchais au fond du jardin ou dans le haut du grenier. Je n'ai jamais rien vu d'inavouable au théâtre ; je n'y ai jamais rencontré la honte.

Comme je demandais à ma grand'mère pourquoi le théâtre était un métier honteux, un jour que le chœur venait de fonctionner, ma grand'mère, qui était la seule à n'y pas participer, m'avoua qu'elle ne le savait pas : « Je n'ai jamais été au théâtre » me dit-elle ; et comme j'insistais pour qu'elle me donnât des exemples de ce qui était honteux, elle me dit : « Ce qui est honteux, c'est ce qui n'est pas propre ! Il faut être propre sur ses habits et sur soi-même. Il est honteux d'avoir une tache à son habit. Et il est honteux de mentir ; c'est une tache aussi, tu le sais bien... Mais — fit-

elle tout à coup — tu as un trou à ton pantalon,
et ça c'est ridicule !... »

Maintenant que j'ai pratiqué ce métier pendant des années, je comprends la différence qu'éta-
blissait ma grand'mère entre la honte et le ridicule,
car le théâtre, lui aussi, a ses « trous au pantalon ».

Lorsque, jouant la comédie, la prétention et
la suffisance auxquelles le rôle vous oblige, vous
trahissent et vous ridiculisent, ce n'est pas de la
honte, c'est de l'humiliation qu'on éprouve. Je
les connais, les étonnements dédaigneux du public,
devant le carnaval et la chienlit des coulisses. J'ai
entendu son rire, à voir les palais de marbre remuer,
parce qu'ils sont de toile ou de papier. J'ai connu
le grotesque de la porte qui ne s'ouvre pas, et de
la barbe postiche qui se décolle... Cette perte de
sérieux que donne un trou au pantalon ce n'est
que du ridicule, ce n'est aucunement de la honte.
Je ne crois pas qu'il y ait des métiers honteux,
il n'y a que des actions honteuses. La honte du
théâtre et son indignité ne vont pas plus loin
que les hontes et les indignités que l'on peut dégus-
ter dans d'autres professions. Je laisse chacun
juge et n'accuse personne.

La honte du théâtre, s'il en est une, n'est
pas dans le mensonge de son action, de ses décors,
de ses comédiens et de ses comédiennes. C'est le
seul mensonge permis, avoué et partagé. Nulle
part il n'en est fait de plus beau, de plus glorieux.

Les rêves bienfaisants qu'il procure à ceux qui n'en ont pas, ou qui n'en peuvent pas avoir, rien d'autre ne les donne. C'est la raison et l'intention de ce mensonge, c'est la façon dont l'acteur et le spectateur le pratiquent, qui importent. Et c'est pourquoi la honte ne peut entrer au théâtre que par l'exploitation vile ou l'utilisation basse de l'illusion, qui est sa nourriture. Et dont il doit faire commerce.

Si ce commerce de l'esprit, des sentiments et des idées n'était qu'un commerce tout court, si l'avidité du gain ou l'appétit de l'argent devenait sa seule préoccupation, le théâtre, évidemment, serait un métier honteux. Nous n'en sommes pas encore là !

Père du cinéma, de la télévision, de la radio, ou du disque, le théâtre — qui a donné naissance à ces industries — n'est qu'un petit commerce. Il doit rester aux mains des artisans.

Ce n'est pas un métier où l'on s'enrichit, et le désintéressement y est la règle générale. Et s'il était permis d'y faire fortune le théâtre perdrait d'un coup ses vertus et son honnêteté, et c'est alors qu'il serait un métier honteux. Si le théâtre, depuis quelques années, tend à s'industrialiser, il le doit plus aux intermédiaires, aux entremetteurs, et aux organisations sociales que les États tolèrent ou protègent, qu'à ses serviteurs véritables.

Ceci est une histoire de théâtre et « elle est vraie », — comme dit Sacha Guitry, quand il raconte les siennes.

Nous allions faire la lecture d'une pièce nouvelle, et la distribuer. Il y avait encore quelques petits rôles vacants, et les comédiens énuméraient les disgraciés ou les défavorisés de la profession, que, dans ces occasions, on cherche charitablement à secourir. On en avait déjà trié quelques-uns, quand soudain quelqu'un cria un nom : « Comment, s'étonna un autre, il vit encore... Il y a si longtemps qu'il n'a tenu l'affiche !... » Il était en chômage. Il arriva, vêtu avec cette propreté et cette correction spéciales à la misère. Il était heureux, il était fier ; on lui expliqua son rôle. Il souriait, il était trop ému pour parler ; nous étions heureux avec lui.

Puis on lut la pièce... A certaines scènes, dont il faisait partie, on le regardait, on le félicitait du regard. — La lecture finie, un contentement emplit la salle, tout le monde se congratulait : l'auteur allait de l'un à l'autre, recueillant la joie de chacun avec satisfaction. Le comédien au petit rôle était resté assis sur sa chaise. L'auteur s'approcha de lui : « Eh bien, vous êtes content? » Il avait un petit feutre misérable posé sur ses genoux, et le tenait avec une sorte de précision résolue : « Je suis content, répondit-il, je vous remercie beaucoup ; je suis très touché que vous ayez pensé

à moi ; mais je ne pourrai pas jouer ce rôle. Je
vous demande pardon, Monsieur, ajouta-t-il
encore en se levant, mais je ne *crois* pas à votre
pièce ».

Mon cher camarade, je te salue ici. Le théâtre
n'a pas de Plutarque. Tu aurais mérité de figurer
dans « Les Vies des Acteurs Illustres », en exemple
de la conscience et de la noblesse professionnelles.
C'est sous le signe de ta dignité, c'est par la pau-
vreté nécessaire où tu es resté, que je considère
avec toi le théâtre d'aujourd'hui. C'est ainsi qu'il
faut y entrer et y vivre. Mon cher camarade,
je te salue.

En ce moment, pour le théâtre, la question
du régime politique n'importe pas, il importe seulement que les hommes qui s'y destinent soient
purs, jeunes, disciplinés, et qu'ils sachent rester
pauvres. C'est à présent l'avenir de toutes les
institutions, de toutes les sociétés nouvelles. Pour
vivre et pour durer, le théâtre doit rester pauvre,
et les hommes qui s'y consacrent devront rester
purs pour pouvoir résister à la corruption de l'argent et à la vanité de la publicité.

Et si le lecteur s'étonne de tant de critiques,
de mécontentements et de griefs dans ces pages,
qui ont l'air arrachées à un cahier de réclamations
ou à un réquisitoire, il pourra en trouver une triste
excuse et une pénible justification dans la faillite
que nous subissons aujourd'hui. Si les événements

actuels, en dehors de la folie sanguinaire habituelle aux hommes, prouvent quelque chose, c'est
que les organismes sociaux ne répondaient plus à
nos besoins, et que l'art dramatique, avec le théâtre,
donnait déjà les preuves de la caducité de leurs
institutions.

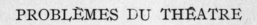

PROBLÈMES DU THÉATRE

Il n'y a pas, au théâtre, des problèmes, il n'y en a qu'un : c'est le problème du succès. Il n'y a pas de théâtre sans succès. Si l'on veut y réfléchir, cette affirmation me semble d'une suffisante importance pour faire passer au second plan toutes les autres considérations. La réussite est la seule loi de notre profession. L'acquiescement du public, ses applaudissements sont, en définitive, le seul but de cet art que Molière appelait le « grand art » et qui est l'art de plaire. *L'art de plaire, au théâtre, c'est l'art d'écrire des pièces ; c'est ensuite, et bien au-dessous de ce sommet, l'art de les monter et de les jouer.* Voilà, brièvement dit, sous quel aspect se présente à moi la question du théâtre.

Je n'aime pas ce mot de problème, si souvent employé, si souvent imprimé : problème de l'adolescence, problème de la sexualité, problème des familles nombreuses, problème électoral, problème du vin ou du blé, il y aura toujours, malgré ce mot « problème », des enfants, des adolescents, des familles nombreuses, du blé, du vin. Grâce à Dieu, tout ce qui est vie est problème. Le « problème » implique l'idée de vie. On peut dire que tant qu'il

y a problème, il y a de la vie, et tant qu'il y a de
la vie, il y a problème.

Les problèmes, au théâtre, sont éternels,
comme dans la vie ; ils ne sont ni d'aujourd'hui,
ni d'hier, ni de demain. Les problèmes du théâtre
d'aujourd'hui, ce sont ceux d'hier, d'aujourd'hui
et de demain, celui de toujours : c'est le « succès ».
Chaque fois que le serpent de mer disparaît des
mers du Sud, ou que les scandales ou les crimes
s'apaisent, les journaux commencent à enquêter
sur les problèmes du théâtre, et essaient de nous
attendrir ou de nous inquiéter par un aspect particulier de l'activité théâtrale. Il faut convenir que
les questions sont, en général, mal posées, et que
les points de vue sont toujours d'incidence.

Hélas ! que, le cœur serré, on constate le
chômage des comédiens et leur misère ; que l'on
considère la désuétude du Conservatoire ou la
caducité des théâtres subventionnés ; qu'on soit
pris de vertige ou de honte en songeant au théâtre
d'Orange ; qu'on cherche à démêler les liens qui
pourraient unir le théâtre et le cinéma ; qu'on
étudie le théâtre radiophonique ou les mesures de
protection de l'enfance à la scène, ou bien encore
celles de sécurité contre l'incendie des théâtres ;
qu'on mette en question le port des chapeaux à
l'orchestre ou le droit au sifflet, le contingente-
ment des pièces ou l'imposition du filet aux acro-
bates, ou les congés des Sociétaires de la Comédie-

Française ; que l'on pérore sur la décadence de la mise en scène, sur les décors transparents, sur la scène tournante, sur l'architecture théâtrale ou sur les entr'actes ; que l'on mette à l'ordre du jour l'abaissement de la production ou celle des taxes d'État ; que l'on se tourne vers l'horaire des spectacles, le cachet des vedettes, le port obligatoire du smoking, le prix du programme, la suppression du billet à prix réduit ; que l'on organise l'extermination des marchands de billets, l'anéantissement des ouvreuses ou la gratuité du vestiaire, tous ces problèmes qui, tel le phénix, renaissent périodiquement de leurs cendres, n'ont guère progressé depuis nos devanciers — j'allais dire depuis toujours — et nous avons chance de les léguer intacts à nos successeurs. Tous ces prétendus problèmes n'en sont pas ; tous ces maux appartiennent depuis toujours à notre profession. Le fait de leur attacher de l'importance témoigne d'une myopie certaine : ces rébus, ces devinettes, s'enflent, grossissent et s'enveniment du fait des journaux et de l'oisiveté des conversations. Dès qu'ils préoccupent le public, on peut être assuré qu'il y a, par ailleurs, malaise plus grave, et que le patient a des troubles organiques importants.

Je citerai en exemple, pour votre satisfaction et pour la mienne, un de ces faux problèmes enfin résolu, celui-là, après deux siècles d'efforts : celui de la présence des spectateurs sur la scène. Dans l'édifice improvisé où s'organisaient, au moyen âge, les représentations théâtrales, les spectateurs de marque avaient pris l'habitude d'assister à la comédie ou au spectacle, assis ou debout dans les dépendances mêmes du tréteau où les acteurs s'évertuaient. Shakespeare, Corneille, Molière et Racine ont été, comme chacun sait, représentés dans ces conditions. Pendant deux cents ans, ce faux problème a occupé les esprits, défrayé les chroniques et les conversations, on s'est battu et on a débattu autour de cette difficulté, l'art dramatique en était menacé. Indigence ou indignité de cet art pour les uns ; signe de décadence pour les autres. En tout cas, aux yeux de tous, cette infirmité de nos scènes empêchait tout progrès véritable au théâtre. Enfin, le dix-huitième siècle vint ; un preux chevalier partit en croisade : le comte de Lauraguais. Louis-Félicité de Brancas, comte de Lauraguais, obtint, après maints assauts, de déloger les spectateurs, en rachetant pour une grosse somme ce privilège, car c'en était un que l'usage avait doucement établi. Les spectateurs quittèrent donc la scène, du moins la partie des coulisses où ils jouissaient à la fois de la présence des comédiennes et de la vue de la salle, dans une intime participation au spectacle. Ils se réfugièrent dans ces loges avancées — appelées depuis « avant-scènes » — que l'on voit encore dans certains théâtres, creusées de chaque côté de la scène

Ô bien dom Ie fuis ton feruiteur .

le Peautre fe.

Brécourt — La nopce de village — Les spectateurs sur le théâtre.

Gravure de J. Le Pautre.

(Bibliothèque de l'Arsenal.)

(Photo Harlingue.)

dans le plancher du proscenium, ou nichées dans
l'épaisseur même de son cadre. Cette situation,
pleine de familiarité, resta l'apanage des protec-
teurs de l'art dramatique comme, de nos jours
encore, elle est réservée aux intimes de la profession dans ce lieu géométrique où s'est blotti, lui
aussi, le souffleur.

Il faut convenir que ces spectateurs debout
ou assis dans les coulisses, ces personnages de
qualité qui toussaient ou se mouchaient bruyam-
ment, selon leur degré de noblesse, conversant
librement au moment où la pièce languissait,
dévisageant la salle, ou parfois même interpellant
l'assistance, entrant et sortant librement, et mêlés
à l'action dans une intimité toute pirandellienne,
ne facilitaient ni le jeu des acteurs, ni l'illusion du
lieu que représentait le décor, mais, à bien réfléchir et en dépit du trouble que cette imagination
peut jeter dans nos habitudes actuelles, je ne vois
guère ce que la suppression de cette incommodité
a fait gagner à l'art dramatique et les progrès
qu'il a accomplis après cette révolution.

J'admets volontiers que les machinistes ont
gagné de la place, que le décorateur a pris ses aises,
que la discipline des coulisses en a été facilitée
et que le comédien, dont on a débouché les parallèles
de départ, a pu aller au combat sans ressembler
au monsieur chargé de paquets qui essaye de
gagner la dernière place libre dans un autobus.

Ce sont là, évidemment, des avantages, mais l'art dramatique, proprement dit, n'y a rigoureusement rien gagné. Ce n'est pas la présence ou l'absence des spectateurs sur la scène qui importe, *c'est l'œuvre écrite, c'est l'imagination et le verbe du poète dramatique.* Ce qui importe, *c'est le rapport étroit, direct, de l'homme qui parle, c'est-à-dire l'Auteur, et de ceux qui écoutent, c'est-à-dire de l'assistance, du public.* Et il n'y a pas d'autre problème que celui-là si l'on veut définir ce que j'appelais tout à l'heure le succès sous son aspect véritable et sa véritable finalité.

Le génie de Crébillon, d'Antoine de la Fosse, ou même de Voltaire, enfin libéré par l'accomplissement d'un si grand progrès, n'a pas enrichi notre littérature dramatique et je préférerai toujours *Andromaque* ou *Macbeth* à *L'Orphelin de la Chine* ou à *Mahomet*.

En rêvant sur ce sujet, en considérant l'aspect et la disposition de nos salles modernes, et les continuelles tentatives faites pour leur plus grande modernisation, je me demande même si cet inconvénient dont souffraient autrefois les gens de théâtre n'était pas, à tout prendre, préférable aux prétendues libertés gagnées par cette réforme, et si les débordements et les débauches d'inventions techniques auxquels nous avons assisté depuis cette libération de la scène ont été aussi bienfaisants qu'on pourrait le penser.

Dans cette intimité et cette familiarité du spectateur, la convention théâtrale m'apparaît plus pure et le sens de la cérémonie plus impérieux. Le rapprochement du spectateur et des acteurs, cette proximité des artifices du spectacle obligent l'esprit à les vérifier et à trouver leur signification.

Les *règles* de ce noble jeu qu'est le théâtre, me semblent *plus strictes sur cette scène* qui tient encore de l'estrade et où la véritable illusion, celle que créent l'auteur et les spectateurs, se moque de la fausse illusion de la vraisemblance.

L'œuvre et le génie de l'auteur se devaient de faire appel davantage encore à l'esprit, dans un exercice où le talent du comédien n'avait guère d'autre appareil que le texte.

Pour ma part, si j'avais à choisir, je préférerais ces conditions de travail à celles que nous offrent aujourd'hui beaucoup de nos scènes modernes, majestueusement machinées et truquées, où se perpètrent, dans des débauches de décors, des spectacles douteux. Nous pouvons constater d'ailleurs, aujourd'hui que nous sommes débarrassés enfin de cette amitié, qui paraissait si gênante, du spectateur, combien elle nous était chère par les efforts que nous faisons pour la regagner et combien ce contact nous manque et comme il est toujours notre préoccupation.

La scène libre, protégée de toutes parts, et

même par les ordonnances d'État qui déclarent
au spectateur égaré dans le couloir des loges
« que toute personne étrangère au service ne doit
pas franchir la porte de scène », cette scène libre
cherche par tous les moyens à revenir au sein
du public et à replacer sa pièce et ses acteurs
dans le bain d'humanité où leur présence trouve
un rayonnement plus efficace. Que ce soient les
essais de représentations de comédie ou de tragédie dans la piste des cirques, le reliement de la
scène à la salle par un pont suspendu au-dessus
de l'assistance, l'accès des comédiens par les allées
de la salle, les innovations dénommées « scènes
dans la salle » où l'on voit soudain de pseudo-
spectateurs se lever et participer au jeu des
acteurs, que ce soient les dispositifs scéniques
inventés en Russie ou en Amérique, curieuses et
étranges surfaces destinées à la représentation
que le public cerne à nouveau, que ce soient les
tentatives de décoration de la salle qui la font
participer à l'action, et par lesquelles le décorateur s'évadant de la scène, amplifie son rôle, on
constate tous les jours, à notre époque, sous une
forme ou sous une autre, le désir de l'homme de
théâtre de se pousser vers le public, de regagner
par tous les moyens cette intimité d'autrefois,
dont la nécessité est une des lois de l'art dramatique. Intimité faite de la pénétration de deux
éléments, le public et la représentation, dont le

pouvoir d'aimantation est, comme en physique, en rapport inverse de la distance.

Les premiers dispositifs, les premières traces qu'ont laissés les assemblées dramatiques en Grèce, nous montrent le public encerclant un espace dans lequel un tonneau ou un tremplin sert de scène à l'action ; c'est la forme du cirque et celle du théâtre antique. Ce dispositif naturel prend des aspects différents suivant l'époque et évolue comme le noyau dans le protoplasme de la cellule, mais la question est dans le contact du public, dans son amorçage, dans cette espèce d'osmose du fluide dramatique.

En dépit de tout ce que cette affirmation peut avoir de révoltant ou d'affligeant, il n'y a, au théâtre, qu'un seul problème, si l'on peut désigner ainsi ce qui sera toujours une énigme : le succès.

On peut évidemment parler de la question dramatique en partant d'un point de vue plus noble ou plus abstrait. Mais cette recherche du succès, cette obligation, cette contrainte dans l'art de plaire est ce qu'il y a de plus évident et de plus nécessaire à ceux qui pratiquent notre profession.

Le succès — avoir du succès — avoir un succès, vous ne savez pas, comme nous, ce que c'est. Vous le savez, il est vrai, par la curiosité naturellement déclenchée ou contrainte, par l'opinion générale qui vous mène à contempler le bureau de location assiégé, par l'astreinte d'aller payer ailleurs, et beaucoup plus cher, et sans profit pour nous, aux revendeurs de billets ou aux soi-disant agences de théâtre, les places désirées, par le strapontin mal placé, d'où l'on ne voit pas la scène, où vous serez mal assis, séparé de la personne chère à qui vous avez offert ce plaisir — ou même par le fauteuil très incommode de ce théâtre vétuste où se joue la pièce (dans la profession, nous disons : il n'y a pas de mauvais théâtre, il n'y a que de mauvaises pièces — ce qui démontre que le succès rend les clients insoucieux de leur confort).

Mais vous ne savez pas l'émotion chaude, le rayonnement intérieur qu'éprouve l'acteur, ou l'auteur, ou le directeur, à ce bruit caractéristique d'un sac de noix qu'on remue ou d'un panier de crabes en tumulte que fait le public, impatient et bavard, au delà du rideau, à ce moment où le régisseur, le pompier de service, les machinistes et les comédiens viennent admirer, avec un sourire de béatitude, par le trou ou la fente du rideau, ces centaines de visages, irradiés d'impatience et d'intérêt. Vous ne savez pas le frémissement voluptueux que donne l'entonnoir d'une salle de théâtre toute enduite d'humanité, cette amplification de sensibilité, cet émoi, dont on ne sait plus s'il est fait de tendresse ou d'horreur

lorsque le rideau se lève enfin dans le silence...
et qu'apparaît soudain cette masse humaine, « *ce*
monstre, disait Shakespeare, *qui a des milliers*
d'yeux et d'oreilles et qui nous attend, dans l'ombre ».

A ce moment où se polarise sur le comédien
qui est en scène ce brusque afflux de sentiments
humains, aiguisés jusqu'à l'extrême, accessibles
à toutes les nuances, débordants de confiance et
de beauté intérieure, à ce moment-là *votre* plaisir
nous est plus sensible, peut-être, qu'à vous-même.

Il n'est pas nécessaire d'avoir vécu longtemps au delà de la rampe, dans cette cellule
de l'ancien temple grec qu'est le plateau, pour
avoir éprouvé l'atmosphère dangereuse d'une répétition générale — cette atmosphère faite d'une
singulière allégresse, toute chargée, à la fois,
d'épais sortilèges et de bienfaisantes radiations
— et pour épouser aussitôt dévotement, à défaut
d'autres révélations, toutes les superstitions qui
subsistent au théâtre, comme dans tous les lieux
où s'exerce encore le magnétisme du cœur et de
l'esprit : superstitions de coulisses ; signe de croix
de l'acteur qui rentre en scène ; geste rapide et
convulsif de la main qui touche du bois pour
conjurer les maléfices qu'attirent le mot « four »
ou le mot « succès » témérairement employés ;
acteur ou actrice que l'on n'engage jamais parce
qu'ils ont la réputation terrible de porter malheur.
La liste serait longue si elle ne paraissait trop

puérile, mais jamais un machiniste de bonne tradition n'emploiera le mot « corde » ; la coulisse
s'emplira de chuchotements apeurés et de désa-
veux pour le metteur en scène s'il réclame pour
son décor un bocal de cyprins inoffensifs ou une
cage contenant un oiseau, et rarement un acteur
a ouvert, sur scène, un parapluie, dans une pièce
qui a eu du succès.

Il y a bien quelque ridicule dans tout cela,
mais il est tout de même touchant et curieux
de le voir persister à notre époque ; j'avoue
que, personnellement, je respecte ces superstitions et j'y participe sans aucune honte. La lecture des Mémoires de Carlo Gozzi qui fut le dernier grand poète dramatique de la Commedia
dell' Arte, suffirait à me justifier.|

Je me permettrai seulement de proposer
quelques-unes de ces questions dont l'insolubilité
pourrait, à juste titre cette fois, revendiquer le
nom de problème.

Pourquoi un théâtre de 700 places qui obtient
certain soir un succès foudroyant, voit-il régu-
lièrement pendant un certain nombre de soirées
une moyenne de 700 spectateurs se diriger vers
ses 700 fauteuils, et pourquoi n'y a-t-il pas 1.400 personnes un jour, et point du tout le lendemain?

Je ne crois pas que les mathématiques, la
physique ou la statistique suffisent à expliquer
ce phénomène. A l'heure triste du crépuscule dans

la ville, au moment où nous éprouvons avec une
légère angoisse l'approche de la représentation,
quand on est un peu las et que les passants semblent maussades ou dédaigneux, j'ai souvent rega-
gné le théâtre à pas pressés, pris d'une espèce de
panique, effrayé à l'idée d'un théâtre vide, ce
soir-là, et rassuré seulement et émerveillé à la fois
de voir, vers huit heures et demie, le public venir
s'asseoir dans les fauteuils.

Pourquoi, dans une population de plusieurs
millions d'habitants, y a-t-il tous les soirs 700 personnes et 700 personnes seulement (mathémati-
quement il y a un ou deux pour cent d'écart,
c'est-à-dire de 693 à 707 personnes) pendant plusieurs semaines, pour venir, sans convocation,
sans titre spécial, sans entente entre elles, s'assem-
bler dans le même lieu?

Cet appel du public n'est pas qu'un simple
phénomène de capacité, assimilable à celui d'un
tuyau d'aération dont l'appel d'air et le débit
sont en rapport avec la section du tube. Le tuyau
du poêle ne tire pas tous les jours de la même façon,
et ce n'est pas seulement le soleil ou le vent qui
modifient son tirage. La parfaite connaissance de
cet humble problème a provoqué, comme beaucoup
d'autres, le dépit de bien des savants.

Les gares, les plages, les hôtels des villes
d'eaux, les champs de manœuvre, et même les
champs de course, ne présentent pas ces carac-

téristiques et ces constantes, ils n'ont pas la même vie unanime, dirait Jules Romains, ni la même âme que les théâtres. Car le théâtre a une âme ! Une âme qui se forme petit à petit par les concrétions successives des pièces qu'il joue. Il y a, dans un théâtre, une sorte de crasse dramatique qui se dépose peu à peu dans ses flancs, un relent ou un parfum qui s'en dégage. Il y a dans un théâtre, par exemple, une acoustique qui, en dépit de tous les spécialistes, ne se corrige jamais, qui a une espèce de vie et d'existence suivant l'heure, le décor, la pièce, les acteurs et le public (et on peut dire d'une salle qu'elle a l'acoustique qu'elle mérite). Un théâtre a une sonorité dramatique personnelle, une nature dramatique individuelle, et un théâtre a sa santé, une bonne ou une mauvaise santé, suivant aussi ses acteurs, son directeur, son auteur et son public, le succès ou l'insuccès de son répertoire.

Voici un fait bien connu des gens de théâtre : pourquoi la présence dans une salle, de tel spectateur, crée-t-elle une irréductible résistance au jeu de la pièce?

— Qu'est-ce qu'ils ont donc, ce soir? Et tout d'un coup, l'un d'entre nous dit : « M. Un Tel est dans la salle ». Tout s'explique, c'est lui qui empêche les effets de se faire.

Ce genre de spectateurs dont je pourrais vous citer des noms, est non-conducteur et empêche le phénomène de fusion ou de cristallisation, comme dans le creuset la mauvaise terre d'un minerai, ou dans le cristallisoir du chimiste l'impureté d'une solution.

Lorsque nous sommes entrés à l'Athénée, en manière d'offrande et de purification aux dieux lares qui avaient abrité Debureau, et aux ombres tragiques et comiques de Thalie et de Melpomène, nous avons pensé nécessaire de représenter d'abord l'*Amphitryon* de Giraudoux.

Pourquoi devine-t-on toujours en scène deux secondes avant qu'il se produise, ce silence sonore que va créer tout à coup le trou de mémoire de votre partenaire ou le lapsus qu'il va commettre?

Pourquoi, au théâtre, certains personnages, en général des personnages historiques ou légendaires, ont-ils la réputation d'être tabous? Et pourquoi les acteurs ayant joué ces personnages ont-ils été envoûtés par ces incarnations? Je pourrais citer l'exemple d'un acteur allemand, que le fait d'avoir endossé le costume de Frédéric le Grand, coiffé sa perruque et manié sa canne et sa tabatière, a jeté dans une véritable déchéance, en réduisant son mimétisme à cette seule et grande figure.

Pourquoi Renoir, qui était au jardin (à droite de la scène), tandis que j'étais à la cour (à gauche de la scène), a-t-il senti comme moi au même moment, dès les premières répliques de *La Mar-*

grave, d'Alfred Savoir, que la partie était perdue et que la pièce ne marcherait pas? J'étais, à ce moment-là, en coulisse, attendant mon entrée, et je me rappelle l'effroi que j'éprouvais à écouter mes camarades et à sentir, moi aussi, comme un courant d'air froid, la désaffection de la salle entière. Je cherchais à m'en expliquer les raisons, en attribuant les causes au fait que peut-être je m'étais trompé dans la mise en scène, que peut-être j'avais mal fait attaquer la pièce, que peut-être le public n'était pas encore en train, que peut-être le début de la pièce n'était pas bon ou que la pièce ne devait partir que plus loin ; mais lorsque rassemblant tout mon courage, j'entrai à mon tour sur le plateau avec l'énergie du désespoir, pourquoi ai-je définitivement compris dans cette sourde hostilité, ce froid glacial, que la pièce n'aurait aucune réponse du public?

Pourquoi et comment apprécie-t-on au théâtre, sans erreur possible, le sens du silence que fait le public? Et pourquoi ne confond-on jamais son indifférence avec son émotion? Le silence (cette *stase dramatique*) que fait une masse humaine, hypnotisée par la terreur ou la pitié, n'est pourtant pas différent, à l'oreille, du silence sécrété par l'ennui ou la réprobation des spectateurs.

Le rire, lui non plus, ne trompe pas. Et pourquoi, s'il s'adresse au ridicule personnel du comédien dont la perruque vient de tomber, ou qui s'obstine à ouvrir une porte à l'envers, pourquoi ce rire est-il si vite et si naturellement authentifié, par ceux même qui sont en coulisse, qui devinent aussitôt que quelque chose d'anormal vient de se produire?

Un jour que je disais à Antoine mon goût et mon admiration pour *L'Assomption d'Hannele Mattern*, de Gerhardt Hauptmann, et mon intention de monter cette pièce, je l'entendis, de sa voix coupante et péremptoire, dire : « Mon petit, vous ne ferez pas un sou, j'ai adoré cette pièce, j'ai essayé dix fois de la monter, au Théâtre Antoine, à ma première direction à l'Odéon, et encore à ma deuxième direction, ça n'a jamais marché. Ne faites pas ça, elle a un sort ».

Et quand j'ai monté *Tripes d'or*, de Fernand Crommelynck, à un moment de ma carrière où les huissiers dans les couloirs du théâtre étaient bien aussi nombreux que les spectateurs dans la salle, Antoine, qui m'accueillait chez lui paternellement, s'inquiétant de mes difficultés, après m'avoir félicité et s'être réjoui que je monte une œuvre de Crommelynck et, après que je lui en eus raconté le sujet, changea de visage. L'espoir que je lisais dans ses yeux s'éteignit, je vis sa moue s'allonger, et d'un air dépité, il me fit, simplement : « Dommage ! » C'était une pièce sur l'argent ; rarement, au théâtre, on a gagné d'argent en en faisant le thème de la pièce.

Et, par contre, à quoi tient le succès des œuvres de Pirandello? A ce que Pirandello touche directement et uniquement à ce que j'appellerai la magie dramatique, à ce qu'il a osé par un tour d'esprit peut-être sacrilège, réaimanter de vieilles formules et transmuer des valeurs dramatiques mises au rebut depuis longtemps. Cette réaimantation, cette transmutation emprunte aux mystères de l'art dramatique. Et les six personnages qui entrent en scène en quête d'auteur, par exemple, ne sont vivants que parce qu'ils ont dissocié ou divulgué le secret de l'intrigue au théâtre — j'allais dire qu'ils l'ont profané — car il y a dans tout le théâtre de Pirandello une sorte de violation des secrets et des formules dramatiques ; le personnage, éventré par une main cruelle, se promène sur la scène en traînant ses ressorts et ses engrenages après soi et cherche à éveiller chez le spectateur une curiosité anormale.

Et maintenant à quoi est dû, par contre, le succès des pièces de Jean Giraudoux, qui bien que d'une autre nature, tient lui aussi à la magie dramatique ? Mais à une magie dramatique de bon aloi et de grande tradition, la seule qui soit : celle du verbe.

Au lieu d'un sorcier qui opère par sternomancie, ou libanomancie, comme font les sibylles et comme dit Rabelais, nous avons affaire à un véritable magicien du théâtre, à celui qui possède

cette éloquence particulière, ce don sacré de la
parole qui, différenciant les écrivains de théâtre,
élève et isole, au delà des dramaturges, l'homme
élu et prédestiné.

Pour nous tous qui avons joué ses œuvres,
cela a été une révélation et une surprise de voir
et de sentir pour la première fois le public dans
un état d'attention aisée, constante et émue, et
d'éprouver pour notre compte le silence charmé
d'une salle ravie.

Nous pouvons dire que seuls les grands écrivains provoquent cette stase dramatique, cet
émoi profond où l'auditoire est charmé et fasciné
à la fois par une parole, comme de prédilection.
L'assistance entière, dans *Amphitryon*, est atteinte
profondément par cette familiarité lyrique, où
à l'aube des combats « l'odeur du restant de pâté
de lièvre arrosé de vin blanc s'introduit entre
l'épouse en larmes et les enfants qui sortent du lit
un par un, tandis que retentissent les trompettes
de la guerre ».

J'entends souvent des gens me dire : « Croyez-
vous que Giraudoux restera? » Ce que je puis
répondre, c'est qu'il est, et c'est tout ce qu'il est
nécessaire de savoir aujourd'hui. Et s'il vous prenait l'idée de vous lever tous ensemble pour renier,
peut-être, mon admiration, et me déclarer que
vous n'aimez pas Giraudoux, je vous dirais, par
tout ce que j'en sais et tout ce que j'en ai éprouvé,

que vous avez tort, qu'il y a trois cents salles qui
ont été enchantées par ce thème d'*Amphitryon*
déjà trente-sept fois célébré, et que le succès est
la preuve de l'art de Giraudoux. Je dis « son art »
car à l'analyse vivante que nous avons faite en
l'interprétant trois cents fois, il est impossible de
trouver, dans le métal pur de ses pièces, d'autre
élément de succès que celui du thème dramatique
et du verbe dramatique, *de l'imagination et de la
parole*, les deux seuls éléments simples de l'art
du théâtre.

A quoi tient le succès de Giraudoux? A la
magie incantatoire du verbe dramatique. Il n'y
a pas d'autre raison.

Je m'étonnerais fort si, dans une nouvelle
vie, où je serais machiniste ou décorateur, je ne
retrouvais pas, sur la scène future, familières et
révérées, les œuvres qu'il a produites, alors que
seront oubliés bien d'autres succès dont il ne restera plus que les décors poussiéreux. Si la langue
de Racine est toujours parlée en France, dans
deux cents ans on jouera encore le théâtre de Jean
Giraudoux. C'est à son succès qu'il faut songer
pour comprendre la définition du mystère dramatique. Eschyle, Sophocle, Euripide, Shakespeare,
Racine, Schiller, Gœthe, plus ou moins grands,
sont des poètes dramatiques ; Giraudoux en est
un, parmi eux, et je pense que vous ne vous éton-

JULES NORIAC — par GILL

L'ECLIPSE

Un directeur de théâtre

Collection RONDEL.   *(Photo Rigal.)*

nerez pas de cette opinion : c'est nous qui l'avons joué.

N'aurais-je d'autre titre de gloire, dans l'exercice de mon métier et de ma carrière, que d'avoir joué ses œuvres, celui-là me suffirait.

Tout ceci n'est probablement pas inexplicable, un esprit plus savant que le mien rangerait aisément ces exemples dans des casiers bien étiquetés à l'usage de ceux qui veulent tout comprendre et ont décidé de ne pas laisser son charme à la vie. Le marin sur son bateau, le soldat dans la tranchée, le joueur devant le tapis vert, le cultivateur ou le vigneron devant leur récolte, ont eux aussi une âme singulière ; les phénomènes de prémonition, de détection et de télépathie leur sont habituels, comme à nous, gens de théâtre, parce que ce sont des métiers où le risque souffle et où l'esprit vibre dans cette bienfaisante inquiétude, où la sensibilité, à la fois vacillante et exaspérée, donne à la vie son sens et son prix.

Tout ce qui vit véritablement, tout ce qui concerne les opérations où sont mêlés le cœur et l'esprit de l'homme, est empreint d'un mystère qui en est à la fois la cause et la fin et qui est indispensable au fait de vivre. Et il y a, de toute évidence, dans l'exercice de notre profession, dans la cérémonie dramatique, des notions moins sommaires qu'il y paraît.

A la scène, ces phénomènes prennent leur

évidence dans une exaltation exceptionnelle, et si l'homme condamné à l'usine, à l'officine, au bureau, au magasin, ou à sa boutique, va encore au théâtre, c'est qu'il y trouve l'atmosphère nécessaire à la respiration de son cœur et de son esprit.

Si tant est qu'il soit nécessaire de chercher un problème au théâtre, c'est dans l'occultisme redoutable où il s'exerce tous les soirs qu'il faut le considérer ; dans sa magie agissante sur le public et sur l'acteur, dont les moins initiés d'entre nous connaissent les phénomènes ; dans cette incantation, cette sorcellerie que provoque la représentation et dont la pratique naturelle et familière est, cependant, un mystère plus grave que celui du cinéma ou de la T.S.F.

Pendant longtemps et dans toutes les civilisations, la scène a été un lieu sacré. La similitude d'un théâtre et d'une église se justifie par la confusion même des édifices à certaines époques et par bien d'autres considérations. Mais du jour où les hommes en ont écarté la religion et l'ont installée dans des édifices spécialisés, l'acteur, cet ancien prêtre d'Eleusis défroqué, a été excommunié et la scène est devenue un lieu de Sabbath.

Je crois qu'il est impossible d'écrire une philosophie du théâtre, mais je rêve qu'un jour quelqu'un, peut-être, écrira une physique ou une métaphysique théâtrale, qui éclairera la nature

de ces cérémonies, en dégagera les lois et les constantes inexplicables, science comparable à celles
qui étudient ou décrivent le régime des vents, les
courants marins ou la gravitation des astres, ou
à celles qui ordonnaient les temples grecs ou les
pyramides d'Égypte, les cérémonies religieuses
antiques et les coutumes des anciennes civilisations, sorte de connaissance où le phénomène
minutieusement connu et pieusement enregistré
reste cependant dans le nuage doré de la mystique nécessaire.

Mais revenons à ce problème du théâtre,
revenons au succès. Je voudrais pouvoir décrire
le succès au théâtre : ce paroxysme de la représentation, cette effusion d'où naît le tumulte de
l'applaudissement, ce moment dramatique où une
même âme saisit et cristallise tout d'un coup la
salle entière, par une magnifique et miraculeuse
contagion — cette unanimité qui fait communier
les êtres les moins choisis et les plus réfractaires à
ce mélange — dans une même idée, ou un même
sentiment, avec une reconnaissance dont la chaleur nous exalte et nous comble.

Lorsqu'on dit au théâtre « la salle entière »,
c'est comme dans l'histoire quand on dit « le
peuple entier ». Que ce soit au couronnement des
rois de France, aux fêtes révolutionnaires du
Champ-de-Mars, à la traversée de l'Atlantique
par les airs, à la mobilisation de 1914 ou à l'armis-

tice de 1918, le phénomène est le même, la qualité et la nature de cette effervescence et de cet enthousiasme sont rigoureusement semblables.

Un mot de Jules Renard va nous apporter une nouvelle et nécessaire définition du succès au théâtre... et donner un autre ton que celui du pathétique. Ce mot de Jules Renard concerne la préposée à la location, cette dame sans jambes de 11 heures du matin à 8 heures du soir qui, assise derrière un guichet, loue à l'avance les places pour le spectacle ! Si, parlant de cette dame, on répond au directeur qui s'informe comment marche la location pour la soirée : « Monsieur, c'est bien simple, aujourd'hui la buraliste n'a pas eu le temps de faire pipi », on a la définition du succès.

Voilà ce qu'est le succès, sous ses deux aspects bien différents, bien opposés et très humains tous les deux, mais rigoureusement indispensables tous les deux à la profession théâtrale.

Le commerce théâtral, malgré son caractère utilitaire, est, à l'origine des temps, un sacerdoce qui prend sa source aux mobiles les plus nobles et les moins intéressés du cœur humain, mais il y a au flanc de tout sacerdoce, si glorieux soit-il, une abominable plaie qui oblige le prêtre à vivre de l'autel, le soldat de son épée et l'avocat, comme le médecin, de leurs clients.

Je ne crois pas qu'il soit bien à propos, à

notre époque, d'insister sur ce sacré besoin d'argent que Jules Renard arrose de son ironie — vous avez tous les oreilles rebattues de nos difficultés financières... sans compter les vôtres.

Disons-le cependant, le théâtre est un petit commerce au jour le jour, ou à la petite semaine. Une pièce qui ne fait pas recette ne peut pas rester à l'affiche. Ici le génie n'a pas de crédit. Le génie n'a pas de crédit comme dans les autres arts, où le peintre, le graveur, le musicien, le romancier, ont tout de même le droit d'accumuler, dans la patience et la misère, les fruits de leurs travaux et de leurs talents.

Ni l'auteur, ni l'acteur, ni le directeur ne peuvent vivre sans le succès, sans cet acquiescement matériel et moral : sans la recette du guichet et sans les applaudissements. D'ailleurs le public donne rarement l'un sans l'autre.

Et voici donc le problème et la loi du théâtre : avant toute autre considération, *le théâtre doit être d'abord une affaire, une entreprise commerciale florissante, c'est alors seulement qu'il lui est permis de s'imposer dans le domaine de l'art.* Il n'y a pas d'art dramatique sans succès. Il n'y a pas d'œuvre dramatique valable si elle ne trouve son public pour l'écouter et la faire vivre. Effroyable alternative dont il faut épouser les deux termes à la fois, et qui place le théâtre sur la pente de toutes les sollicitations et de tous les compromis,

même de *celui de la mode*. A la méditer, à la pratiquer, cette loi éclaire toutes les activités théâtrales et explique toutes les tendances et tous
les procédés dramatiques. Telle est cette nécessité
où le temporel et le spirituel s'épousent et s'opposent
et qui pourrait expliquer, à la fois, les amères
voluptés de notre métier, sa misérable grandeur,
son mystère et aussi ses vertus de perfection.

La collaboration nécessaire et aveugle d'un
public qui est, en même temps, le but et la sanc-
tion de l'œuvre dramatique, asservit le théâtre
à la nécessité de plaire.

Ce n'est pas tellement l'appétit du gain, ni
la vanité qui réclame sa pâture, qu'il faut chercher ici dans le goût de plaire. Chez l'auteur,
comme chez l'acteur aussi, cela tient de plus près
aux tourments de cœur, que les honneurs et les
richesses ne ressasient pas. Nous avons tous besoin
de sentir des visages et des cœurs tournés vers
nous. Le boulanger qui vend son pain, la fleuriste
qui vend ses fleurs, ne le font pas tant pour vivre
que pour se sentir moins seuls et je ne veux pas
parler ici du besoin plus grave et plus profond
qui fait parler le poète, ou de celui, plus modeste,
mais tout aussi impérieux, de l'interprète qui
cherche à vivre une fiction. Tous ceux qui tra-
vaillent de près ou de loin à l'œuvre dramatique
sont mûs par ce besoin de plaire que seul le succès
contrôle, sanctionne ou récompense.

Parmi les tourments inventés dans son *Enfer*, le Dante a oublié celui de l'auteur ou de l'acteur contraints d'être joué ou de jouer devant une salle vide de public, où les voix seraient muettes et où les mauvaises vocations théâtrales périraient lentement par asphyxie. Pour qu'il prenne conscience de lui, pour qu'il progresse, pour qu'il vive de son métier matériellement et spirituellement, il faut, à l'acteur comme à l'auteur, un public qui l'approuve.

Molière, contraint, lui aussi, à la loi du succès, après avoir constaté que « c'est une étrange entreprise de vouloir faire rire des honnêtes gens », le formule avec, sans doute, un peu de mélancolie : « Le grand art est de plaire ». Tel est le nouvel aspect du succès, la réussite dans l'art de plaire.

Eschyle ou Sophocle écrivaient une pièce pour plaire, ils l'écrivaient pour obtenir le prix du concours dramatique que décernait le peuple d'Athènes. Quand Shakespeare transformait l'histoire ou la légende en chefs-d'œuvre, c'était pour plaire au public du théâtre du Globe, et Corneille, Racine et Molière ont cherché à plaire, tout comme Sacha Guitry cherche à plaire.

De ce point de vue on peut découvrir tout le panorama dramatique, on peut juger et comprendre notre profession. De ce point de vue on peut, en discriminant les moyens employés dans l'art de plaire, classer les œuvres, apprécier les hommes qui les ont écrites et juger aussi le public à qui elles s'adressaient. L'histoire de l'art dramatique, écrite en tant que traité pratique et théorique de l'art de plaire, ou des différentes manières de plaire, offrirait une abondance de commentaires féconds où notre connaissance du théâtre trouverait, en même temps que le sens de la tradition, les exemples les plus démonstratifs des lois de l'art dramatique.

Une pièce, ce jeu d'un soir, est une conversation entre l'auteur et le public, une sorte de proposition spirituelle offerte et reçue ou refusée. C'est sur cette convention partagée ou rejetée qu'il importe d'abord de s'entendre et de faire un choix, pour l'auteur qui écrit la pièce, pour les acteurs qui la jouent et pour le public qui va l'entendre.

Mais, dans cet art, c'est l'auteur qui est le premier responsable, c'est lui qui est au sommet de cette trinité. Il est le créateur. Seul, il a droit à ce titre, car tout dérive de lui. Le problème du succès — l'art théâtral — se situe enfin sur le plan de la production, c'est-à-dire des œuvres, des écrivains.

Si j'écris jamais un traité sur l'art dramatique, je me bornerai à faire parler tous ceux qui, dans un théâtre, concourent à la recherche et à l'exécution des jeux qui s'y ordonnent.

Je suis sûr que leurs propos viendront à l'appui de mes affirmations.

Le comédien, mandataire et témoignage vivant de l'auteur, qui traduit les sentiments du poète dramatique, en sait plus long, à vivre sur une scène, que beaucoup de ceux qui méditent ou qui parlent du théâtre.

Renoir, à qui je proposais, un jour, la lecture d'une longue et savante étude critique sur un rôle classique important qu'il devait interpréter — après avoir balancé un moment, aux éloges que je faisais sur cette étude — me répondit, avec sa simplicité habituelle : « Non, cela ne m'intéresse pas ». Et comme j'insistais, étonné de son refus, il me dit tout à coup, après un nouveau silence :

— Non, je t'assure, mon vieux, ça ne m'intéresse pas. Ces gens-là, vois-tu, ne sont pas au départ, ils sont à l'arrivée.

Et c'est là la différence des points de vue, c'est qu'il faut être au départ, et courir la course, et mener le jeu pour savoir ce qu'est notre métier. Le public et la critique ne sont qu'à l'arrivée.

Il n'y aurait qu'à recueillir les propos entendus durant les semaines où l'on prépare une pièce pour comprendre le point de vue que j'ai envisagé ici — le point de vue professionnel — qui reste étranger à toute esthétique gratuite.

Je me souviens d'une réplique d'un accessoiriste que je me permettrai de citer en exemple.
L'accessoiriste du théâtre est l'homme chargé de
recueillir, de fabriquer ou même inventer les
objets mobiliers, décoratifs ou vestimentaires
employés sur scène et dont le répertoire n'a pas
de limite, de l'utile au superflu, à travers toutes
les époques et tous les pays. Nous montions une
pièce hongroise que je ne désignerai pas et je
communiquais à ce brave homme la liste complète
et nombreuse de tous les objets qu'il avait à fournir. Il la lut lentement, sans enthousiasme, avec
même un peu d'étonnement, et, levant vers moi
les yeux, par derrière ses lunettes, et me regardant avec pitié, il me dit : « Mais, monsieur Jouvet,
ce n'est pas une pièce, ça ! C'est le Mont de Piété ! »

Vu sous cet angle, par ce modeste collabo-
rateur, le jugement gardait tout son pouvoir et
tous ses droits. L'épreuve lui donna d'ailleurs
raison, la pièce ne réussit pas.

Pour amplifier cette anecdote et pour conclure,
je proposerai un jeu de devinette à l'usage des
amateurs de théâtre que j'appelle « jouer à la
métaphysique de l'accessoire ».

— Qu'est-ce qui se joue dans une épicerie
de campagne où il faut :

Un comptoir, une voilette, un sac à ouvrage
avec de quoi tricoter, un roman feuilleton, un
brevet d'institutrice encadré sous verre, une pipe,

du tabac, une corbeille d'œufs, des paquets de livres et une facture, une lampe à pétrole emballée dans un panier, une corbeille à ouvrage avec une chaussette trouée, une boule pour repriser les bas, un pain entamé, une assiette de fromage, des lunettes dans leur étui, un petit peigne de femme, une bouteille d'eau-de-vie et un petit verre, un torchon... j'en passe. Que peut-on jouer avec ces détritus? C'est *Blanchette*, d'Eugène Brieux, un des chefs-d'œuvre du Théâtre-Libre.

Par contre, que faut-il à Marivaux?

Deux cannes, une marguerite à effeuiller, un éventail, trois billets, un portrait, une bourse, une miniature avec son écrin, six guirlandes de fleurs : *La Surprise de l'amour.*

Et au grand siècle du théâtre? Un mur de marbre, et, de chaque côté, deux ou trois marches pour monter. D'un côté du théâtre (c'est-à-dire la scène), un mûrier, un tombeau entouré de pyramides, des fleurs, une éponge, du sang, un poignard, un voile, un antre d'où sort un lion, une fontaine, et un deuxième antre, à l'autre bout du théâtre, où il rentre. C'est *Pirame et Thisbée*, de Théophile de Viau.

Et si le théâtre est une chambre à quatre portes avec un fauteuil pour le roi? C'est *Le Cid.*

Le théâtre est un palais voûté ; il faut une chaise pour commencer. C'est la *Phèdre* de Racine.

Quelle est la pièce où il faut absolument un

lévrier qui meurt en scène, pour rendre toute l'action vraisemblable? C'est *la Reine Margot*, d'Alexandre Dumas.

Mais, dans une chambre, avec six chaises, trois lettres, et des bottes, on joue *Le Misanthrope*.

Pour représenter *Angélique et Médor*, de Dancourt, que faudra-t-il ? « Une batte, mais le théâtre est à volonté ».

Et à Molière encore pour jouer son *Ecole des femmes*, que faut-il? Une chaise, une bourse et des jetons, une lettre.

Nous n'en sommes plus là et c'est peut-être dommage. Il serait en tout cas instructif d'y réfléchir et d'en rechercher les raisons.

C'est sans doute en partant de ces diverses considérations qu'il faut chercher les vrais problèmes du théâtre.

LE MÉTIER DE DIRECTEUR DE THÉATRE

Pour commencer ces propos dans le ton aimable du divertissement, je me permettrai tout d'abord de jouer avec vous à ce jeu de devinettes par lequel, ayant défini un métier, on cherche le nom de celui qui le pratique.

Quel est le métier de celui qui, dans des lieux complices de l'obscurité où les toilettes, les décorations, les éclairages ne visent qu'à la séduction, offre, déguisés, parés ou ornés, des hommes et des femmes? Comment désigner ce pourvoyeur de plaisir qui, par les paroles ou les regards, cherche à éveiller chez son prochain le goût de l'intrigue, de la galanterie ou le désir de la volupté? Celui dont le souci principal est d'allumer et d'attiser les passions clandestines et principalement la concupiscence? Celui enfin qui, présidant « à ces lieux réservés aussi à Vénus » — dit expressément Ovide — tire profit d'un commerce où la chaste pudeur subit bien des dommages?

Vous m'avez devancé, sans doute, et vous m'allez répondre que c'est le directeur de théâtre. Ce n'est pas tout à fait exact, car cette définition est aussi celle de l'entremetteur.

Et si je vous demandais maintenant quel
est le nom de celui qui a charge d'âme et d'esprit,
celui dont le souci est la grandeur et la beauté,
dont les préoccupations sont le respect des mœurs,
l'intelligence publique, l'éducation du peuple, l'élan
à donner aux artistes, bref une sorte de propagande
où la société alimente sa politique, sa religion et
sa morale? Cet homme, moralité et intelligence
publiques, n'est ni un prêtre, ni un moraliste,
ni un pédagogue, comme vous pourriez le supposer,
c'est celui auquel vous pensiez tout à l'heure, c'est
aussi le directeur de théâtre.

Tels sont les deux aspects de la fonction du
directeur.

Un jour, Frédérick Lemaître — qui fut le
grand acteur de l'époque romantique — assis-
tait dans le bureau d'un directeur à la signature
d'un contrat avec un auteur. Les débats étaient
longs, pénibles et humiliants. Dans le désir d'être
joué, ayant pris à sa charge depuis les copies du
manuscrit jusqu'à la peinture des décors, sans
compter la dépense des costumes, l'auteur se dis-
posait enfin à se retirer lorsque Frédérick, posant
sa main sur le bras du directeur, lui dit, en désignant le visiteur :

— Vous avez oublié quelque chose.

— Quoi donc? fit l'homme du théâtre.

— Monsieur a encore sa montre !

Les directeurs sont des gens décriés parce

qu'ils ne sont pas tous, en vérité, des directeurs de théâtre. Leur faune présente, selon les époques, tellement de diversité et de variété, qu'il vaut mieux ne pas trop emprunter à l'anecdote.

Pour être plus véridique, j'y sacrifierai seulement en donnant un aperçu de mes débuts dans l'art dramatique. C'est l'histoire de mon premier engagement à Paris (tout cela ne date pas de bien loin et je ne le dis pas par coquetterie). J'avais passé une audition devant cet homme chargé de la scène et de ses accessoires, qu'on appelle le régisseur. Celui-ci, satisfait pour son compte personnel, m'envoya au directeur, en me déclarant que je pourrais toucher cent cinquante francs par mois.

— Demande cent cinquante pour avoir cent vingt, me dit-il.

Je franchis, le cœur battant, la porte du bureau directorial. Il y avait là un homme assis derrière un immense bureau qui, mis au fait de ma visite, bourra silencieusement sa pipe, l'alluma, rassembla les miettes de tabac qui avaient chu sur son buvard, cracha dans sa corbeille à papiers et, m'ayant considéré un moment, se mit en devoir de remplir les blancs d'un véritable engagement imprimé. C'était mon premier ! Vous imaginez de quel œil je suivais la course de sa plume sur le papier.

Soudain, il s'arrêta :

— Combien? me demanda-t-il.

Et je compris qu'il était arrivé au chiffre de mes émoluments mensuels...

— Cent cinquante, répondis-je, haletant.

Il fronça les sourcils et répéta, d'une voix qui me parut formidable :

— Combien?

— Cent vingt, balbutiai-je.

Alors, reposant son porte-plume sur la table, dans une magnifique indignation, il m'apostropha :

— Mon petit, ne plaisantons pas, hein?

— Mais, fis-je dans un souffle, le régisseur m'a dit...

— Je me fiche du régisseur. C'est moi qui suis directeur ici. Je te donne quatre-vingt-dix francs. C'est à prendre ou à laisser.

Je ne pus que faire signe de la tête que je prenais.

— Bon, dit-il de sa voix grasse, te voilà raisonnable.

Il reprit alors sa plume et se mit à terminer ses écritures. Puis, brusquement, ses yeux quittèrent de nouveau le papier et se portèrent sur moi.

— Tu as de l'argent, hein? fit-il, insinuant.

— Oh ! monsieur !

J'avais des chaussures à cinq francs soixante-

quinze, un col en celluloïd, et les genoux de mon
pantalon évoquaient ceux des dromadaires.

— Non? Tu n'as pas d'argent? fit-il, étonné.
Vraiment? Alors? Alors, Monsieur est maquereau?

Et la plupart des souvenirs que je pourrais
vous conter poussent au noir la peinture du directeur, car — vrai ou imaginaire — le mal fait plus
de bruit que le bien.

* *

Le directeur de théâtre est un homme exposé
à toutes les animosités, à toutes les légendes. Rien
n'est plus facile que de le mépriser. Mais, quel
que soit l'homme qui porte ce titre, il est rare,
cependant, qu'il ne fasse pas preuve d'un certain
désintéressement, qu'il n'ait pas une manière d'être
généreux, une sensibilité particulière à la profession, et qui n'est pas coutumière dans les usages
sociaux courants. Mais il n'est pas dans mes intentions de démontrer que l'homme naît bon et que
le théâtre le déprave. Je ne suis pas un moraliste.
Du point de vue de Buffon, le directeur est un
anthropomorphe ou un anthropoïde mammifère,
éminemment adaptable, vivant de matière dramatique sous toutes ses formes : livrets, manuscrits, drames, opérettes, comédies, costumes, décors,
toiles peintes, fauteuils, programmes, lavabos,
vestiaires, pastilles de menthe, accessoires de

carton, musique de scène, perruques, etc. Il digère et assimile tout ce qui, d'une façon ou d'une autre, est de théâtre.

Ses occupations sont singulièrement une traite des blancs mitigée, pratiquée en deux temps, dont l'un consiste à recruter des hommes et des femmes servant d'appât à d'autres hommes et femmes dont la réunion au second temps forme la matière rémunératrice appelée public.

Du point de vue encyclopédique, la somme des connaissances qui lui seraient nécessaires est telle qu'il ne saurait sans vertige et sans danger s'élever plus haut que le lieu commun, lequel est, comme chacun sait, une assise infiniment commode et sûre.

L'ensemble des vertus sociales et politiques qu'il doit pratiquer dépassant de beaucoup le niveau des vertus célébrées par Plutarque, le directeur de théâtre se voit contraint, généralement, à une morale qui oscille entre l'héroïsme et la compromission et le fait évoluer dans les domaines du malentendu.

Quels que soient son tempérament et son humeur, il est forcé, pour vivre, de se réfugier dans les climats extrêmes de la domination ou de la servilité, à moins qu'il ne se tienne dans les régions plus tièdes de l'indécision et de l'approbation condescendante où prolifère également la faune parlementaire.

Honni et blâmé, loué et adulé, condamné au succès, toujours à l'affût de la réussite, c'est-à-dire de l'argent, glorieux ou vilipendé selon ses recettes, c'est, dans la société, l'homme qui unit le mieux le mépris et la pitié.

Critique avant la critique, il faut se le représenter assis entre l'Esthétique et le Commerce, devant une énorme pile de manuscrits qui se renouvelle sans cesse, l'imagination délirante et contaminée, cherchant courageusement ce virus dramatique dont il essaye de contracter le premier la fièvre, pour en propager ensuite l'épidémie glorieuse et rémunératrice.

Il n'y a pas d'habitacle au monde plus sûr, plus permanent, plus confortable pour l'incertitude, que l'esprit d'un directeur. Il n'y a pas non plus de dualité plus parfaite et plus évidente que celle du directeur de théâtre : littéraire par la publicité, publiciste en littérature, banquier ou usurier, prodigue ou avare selon la nécessité, amateur d'art, mécène de ses collaborateurs dont il est aussi le comptable et le caissier. Ce pourvoyeur des plaisirs publics, ce poète à la petite semaine, ce dictateur de la dramaturgie, est en outre tributaire d'une foule de puissances rigoureuses : obligé de l'Union des Artistes, obligataire de la Société des Auteurs, asservi à l'Assistance Publique, dépendant de toutes les administrations préfectorales, édilitaires, urbaines et suburbaines, des sapeurs-pompiers, de la police, sans compter leurs receveurs, percepteurs, contrôleurs, inspecteurs et agents généraux ; il n'est que l'Église dont il ne relève plus.

Sollicité de toutes parts, en proie à toutes les influences, intrigues et compromissions, accablé de devoirs, d'obligations et de contraintes qui ne s'équilibrent par aucun droit, rien ne peut lui procurer un véritable confort moral ou lui indiquer le sens de sa dignité professionnelle.

Le Métier de Directeur, je vais vous le dire en confidence, n'est pas un métier : il n'y a que des directeurs. La constatation de leur existence, l'étude historique de leur formation, l'examen de leur activité ne pourraient guère se justifier si je ne prenais ici l'occasion de parler du théâtre à propos de l'homme chargé du spectacle. Peut-être aurait-il été plus curieux, sinon plus instructif, d'étudier l'art dramatique du point de vue de l'acteur, du machiniste, du régisseur, voire de l'ouvreuse, du caissier ou du perruquier. Un métier est une fonction sociale définie dans son activité, son étude ou son apprentissage, sa hiérarchie corporative et surtout dans sa *vocation*. Le métier de directeur est, aujourd'hui, indéfinissable socialement. Historiquement, il a perdu son sens pour créer un personnage équivoque dont les raisons d'existence sont extra-professionnelles ; son apprentissage ne pourrait en aucune façon susciter une école professionnelle, et sa hiérarchie ne pourrait offrir, de nos jours, qu'un déploiement d'activités assez étranges qui, partant du chasseur qui ouvre les portières ou de l'ouvreuse perfectionnée dans le claquement des portes de loges et la location des lorgnettes, irait jusqu'au cabinet de l'administrateur en passant par le bureau de location ou celui du caissier, mais négligerait délibérément toutes les occupations proprement scéniques.

Quant à la vocation de directeur, elle est indécelable à l'œil du plus habile éducateur. On peut prévoir l'orateur en herbe ou le comédien en puissance, mais on ne saurait, des jeux d'un enfant qui collectionne les coupons-primes, les contremarques ou les tickets, inférer qu'il dirigera un jour un théâtre plutôt qu'il n'affectionnera la vie ambulante de receveur des Transports en Commun de la Région Parisienne. On naît aviateur, littérateur, auteur dramatique, médecin ou vétérinaire ; on finit député ou directeur. Dans l'un comme dans l'autre cas, c'est une situation, ce n'est pas un métier, c'est un état, un état acquis. La carrière de directeur est un accident dans une vocation théâtrale ; mais si la fonction échoit à un homme qui n'a pas été touché par ce sacerdoce particulier du théâtre, c'est alors un accident pour le théâtre et très souvent une catastrophe pour l'art dramatique.

Et maintenant parlons du théâtre pour tenter d'expliquer le directeur. Je ne prétends pas en donner la formule définitive, mais je voudrais essayer de préciser comment le théâtre, par l'évolution de son organisme ternaire : auteur, acteur, public, a suscité, engendré, toléré ou subi cette fonction supplémentaire et adventice : celle du directeur.

C'est du jeu de ces trois éléments : public, acteur et auteur, de leurs influences réciproques, de leur conjugaison et de leur mariage spirituel, que sont faits le théâtre et l'histoire du théâtre, à ce point que l'on pourrait, à l'instar de Cuvier, se borner à l'étude de l'un des trois constituants pour réinventer, découvrir et décrire les deux autres tout au long de notre histoire.

Le public, la société d'une époque, prête à ses acteurs, à ses poètes, ce que les poètes lui rendent, et le théâtre, comme tous les arts, est, en définitive, une affaire d'emprunt et de restitution.

Le fonds de l'humanité est immuable, il n'y a que les formes qui sont changeantes et variables à l'infini. Chaque siècle, chaque année a ses mœurs, ses caractères qui lui sont propres. L'humanité modifie, arrange et dispose différemment ses ridicules, ses vices, son âme et son esprit, comme les femmes arrangent leurs vêtements et leurs parures, en suivant les inspirations de la mode.

« Il n'y a point d'années, dit La Bruyère, où les folies des hommes ne puissent fournir un volume de *Caractères*. Il n'est pas jusqu'à la beauté qui ne soit mode. Un siècle ou un vice font une différence d'époque à époque ».

Dans cet échange entre le poète et le public, cette vie spirituelle où le poète est l'inspirateur d'une communauté dont l'acteur est à la fois le partenaire et le mandaté, le directeur n'apparaît point encore. C'est que le rôle de directeur n'est qu'un rôle d'intermédiaire.

Lorsque, pour la première fois, dans la première foule humaine, dans la première communauté, l'enthousiasme eut suscité dans le premier groupe originel son premier boute-en-train, son premier conducteur des jeux et des ris, lorsque cette cellule mère du théâtre (et de toutes les collectivités) eut polarisé son noyau dramatique dans la personne du soliste — son premier acteur — l'humanité avait créé le rite théâtral et préformé dans les manifestations de ce premier échange entre le groupe et son chef, le dialogue théâtral. Le théâtre n'est qu'un dialogue entre la scène et la salle, entre le public et l'acteur.

Tel est le premier stade de cette genèse où apparaissent d'abord deux éléments nécessaires et primordiaux : le public et l'acteur. Mais l'évolution de la cellule montre bientôt la formation et la naissance de l'élément essentiel de la cérémonie, l'apparition du poète dramatique, c'est-à-dire de l'auteur.

Public, acteur, auteur : voilà constituée au deuxième stade cette trinité parfaite par laquelle s'exprime l'art dramatique depuis ses origines, dans une correspondance, une union durable ou transitoire, éternelle ou saisonnière, selon la valeur de ses échanges, c'est-à-dire selon l'opportunité de l'inspiration, la qualité du langage du poète et aussi les vertus du public qui l'écoute.

Le directeur est un supplément.

Dans l'ancienne Grèce, délégué du public et de la République, le directeur s'appelle le « chorège ». Chargé de choisir les acteurs, de recruter les éléments de la représentation et d'en ordonner la cérémonie soit à ses frais, soit aux frais de l'État, en rapports directs avec le peuple, il a son vrai rôle : c'est le « délégué social ».

Au Moyen Age, protégé et encouragé par l'Église, il est « l'entrepreneur ou le surintendant du spectacle » dans la ville où se jouera le mystère ; à moins que la fonction ne soit donnée à un technicien, qu'on appelle le « feincteur ». Chargé des costumes et des décors, il est l'ancêtre de nos metteurs en scène modernes.

Au XVIIe siècle, où le roi, les princes et les grands seigneurs protègent à leur tour le théâtre, le directeur est celui que les Italiens appellent le *capo comici* : le chef de troupe ; le plus souvent acteur et auteur à la fois, il représente le directeur professionnel proprement dit.

Ce n'est que peu de temps avant la période révolutionnaire que l'on trouve pour la première fois ce vocable de directeur, désignant l'homme qui, mêlé aux affaires théâtrales, n'est pas forcément un homme de la profession et dont la préoccupation essentielle est surtout le commerce ou ce qu'on pourrait appeler le négoce ou l'industrie théâtrale.

Au XIXᵉ siècle, la collectivité, le groupe, c'est-à-dire l'État, ayant cessé de s'intéresser au théâtre, la fonction de l'organisateur s'altère et se corrompt, et la corporation se voit alors envahie par ce genre d'usurpateur que l'on appelle aujourd'hui un directeur de théâtre.

L'Histoire nous montre que le théâtre n'est florissant que dans la contrainte ou la protection de la collectivité.

Voilà, en quelques lignes, l'histoire des directeurs de théâtre. Cette activité et la façon dont elle se déplace au sein même de la cellule théâtrale, suivant les époques, les sociétés et les systèmes politiques, montre bien le rôle de liaison et le caractère adventice de cette charge où le mélange du matériel et du spirituel est la source de toutes les tribulations et de tous les maux.

Nous distinguerons deux groupes de directeurs : ceux dont la fonction peut se justifier et ceux dont la fonction est injustifiable ; les intermédiaires autorisés et les intermédiaires indésirables, c'est-à-dire les professionnels et les extra-professionnels ; ceux qui ont un rôle d'organisateurs et les désorganisateurs ; ceux dont les fonctions sont le résultat d'une délégation professionnelle — le directeur-acteur, le directeur-auteur, le directeur-metteur en scène, le directeur délégué par la collectivité ou par l'État — et les directeurs par usurpation, qui ne sont délégués que par des sentiments assez troubles ou des fins extra-professionnelles et que nous désignerons sous le terme générique et anodin de directeurs passe-partout.

Le directeur passe-partout n'est pas un directeur, mais il est, hélas ! de nos jours, le type le plus répandu dans la profession. Il y a cent et une façons de l'être.

Citons d'abord le directeur avec théâtre et celui qui n'a pas de théâtre. Le premier a eu un théâtre, autrefois, pendant une semaine ou une saison, ou a participé jadis à une combinaison théâtrale. Le second n'a pas de théâtre, mais est toujours à la recherche d'une scène qui soit libre et la constance de cette recherche suffit à justifier son titre. Elle lui permet de pénétrer dans les coulisses, d'assister aux répétitions générales, d'entrer dans les ministères et de vivoter des sous-produits du commerce théâtral.

Il y a aussi l'industriel ou le financier qui a un théâtre pour des fins toutes personnelles, mais qui ne veut pas passer pour un directeur. Il y a le concessionnaire d'un théâtre, c'est-à-dire l'homme d'affaires qui a affermé la vente des programmes ou des bonbons, l'exploitation des vestiaires ou des lavabos.

Figurent comme directeurs : l'associé du concessionnaire, c'est-à-dire le « marchand de billets » qui, moyennant une opération usuraire, a acheté, lui, pour un certain nombre de représentations, une certaine quantité de places qu'il fait revendre et sur lesquelles il spécule suivant le succès de la pièce. Il y a aussi le locataire d'un théâtre, qui ne l'exploite pas, mais a cédé son bail à un sous-locataire, lequel, ayant fait une commandite, engendre aussitôt toute une nouvelle famille de petits directeurs.

Il peut y avoir encore le sous-sous-locataire du locataire principal et le locataire du sous-sous-locataire.

Dès qu'on a passé dans un théâtre, ou qu'on a approché de près ou de loin le cabinet d'un directeur, le titre est acquis et demeure. On devient directeur, sans que soient nécessaires aucune de ces fastidieuses formalités que nécessitent d'habitude le doctorat, le notariat, ou même l'intronisation dans la Légion d'honneur. L'art dramatique — est-il besoin de le dire? — n'entre dans ces théâtres que par surprise ou par effraction, et c'est ici qu'il convient d'appliquer la définition bien connue : le directeur de théâtre est un homme qui a un bail.

Le directeur passe-partout est innombrable, il prolifère comme le champignon nuisible. Inoffensif en apparence, il exerce dans le milieu dramatique une action décomposante et pernicieuse d'autant plus dangereuse qu'elle est presque indécelable dans l'état actuel des règlements sociaux et des statuts inexistants de notre corporation.

C'est l'homme des disponibilités indéfinies. Coiffé du chapeau chinois de l'opérette, ceinturé de la grosse caisse de la publicité, il sait aussi bien souffler dans le piston du vaudeville que faire trémousser l'accordéon du mélodrame, actionner les cymbales de la tragédie ou le triangle de la comédie. C'est l'homme-orchestre du théâtre.

Le désir secret de son âme est de pouvoir créer, un jour, une émeute, une insurrection ou même une barricade dans l'intérieur de son théâtre.

Pour lui, diriger un théâtre consiste à s'y rendre invisible (comme Jéhovah) et, au besoin, à s'y escamoter soi-même. Visitant le nouveau local qu'il veut louer, il s'extasie sur le nombre de portes dérobées, les couloirs à double issue, les escaliers furtifs ou secrets, et, considérant admirativement tous ces dédales propices, il s'écrie avec satisfaction :

— Ah ! Ici, au moins, on peut faire de la direction !

Il apporte dans l'art dramatique toutes les tendresses et les voluptés de sa vie privée. Possesseur d'une petite amie très endommagée et qui s'obstine avec une excessive persévérance à jouer les ingénues, il cherche à la placer dans toutes les distributions. Personne n'en veut ; mais à l'auteur qui refuse cette pitoyable collaboratrice, il s'écrie d'une voix mouillée :

— Voyons, voyons, mon cher ami, vous ne pouvez pas me faire ça, à moi !

Si son amie n'est point une théâtreuse, il est la proie des petites amies de ses commanditaires. Alors, pressé par son régisseur de désigner, pour la prochaine pièce, la vedette féminine, le front chargé de soucis, le regard torve, songeant douloureusement à l'échéance, cherchant dans son esprit lequel de ses actionnaires pourrait l'aider financièrement, il répond évasivement et sans aucun cynisme :

— Je ne sais pas encore si ce sera le quincaillier, le conseiller municipal ou le marchand de billets.

Barbey d'Aurevilly, vers 1880, proclamait

déjà que le théâtre n'était plus qu'une vaste boutique où l'on vendait moins d'idées que de sensations : pour tout dire, « un bazar ». Or, pour tenir
de tels bazars, s'écrie-t-il, il ne fallait que ce qu'il
faut pour tenir tous les bazars du monde et on l'a
facilement trouvé. Comme dans tous les bazars,
on a vu s'étaler dans les Directions de Théâtres, et
détaler les uns après les autres, des gens de toutes
spécialités et de toutes races. Bohêmes de lettres
ou sans lettres, bourgeois de la rue Saint-Denis
qui avaient fait ou voulaient faire fortune —
défilé de fantoches et de bamboches — les uns
désolés, les autres triomphants, les uns requinqués,
les autres foudroyés et déguenillés, gouverneurs
de la scène française, introducteurs du génie dans
la publicité, marchands de pâtes pectorales, com-
merçants tombés dans le malheur, hommes de
lettres ratés qui avaient enfin trouvé une bonne
occasion de prendre leur revanche sur des camarades de plus de talent qu'eux, directeurs de
revues politiques qui ne savaient pas l'ortho-
graphe. Il y en eût même un, conclut-il, qui n'avait
pour tout mérite que de saluer en plongeon, ce
qui, du reste, était une politesse et une rareté
dans ce pays. Des Turcarets, s'écrie-t-il, presque
tous des Turcarets. Et, en effet, cette réplique de
Frontin, dans la pièce de Lesage, définit admi-
rablement la situation :

« Nous plumons une coquette, la coquette

mange un homme d'affaires, l'homme d'affaires
en pille d'autres. Cela fait un ricochet de fourbe-
ries des plus plaisantes du monde ».

*
* *

Quand le directeur passe-partout n'est pas
dans son bureau, occupé à trier ou à stimuler les
actrices, il est sous le péristyle de son théâtre.
C'est là qu'il éprouve ses plus pures joies en for-
çant un client qui hésite, ou en lui refilant au prix
d'un fauteuil un strapontin délabré. L'après-midi,
emplissant de ses allées et venues sonores le vide
désespérant du vestibule, on peut le voir au bureau
de location. C'est de cette passerelle qu'il commande, qu'il reçoit ses fournisseurs et donne ses
ordres, tout en surveillant les allées et venues des
passants sur ce boulevard qui mène aussi à la gare
voisine. Il épie le client comme l'araignée la mou-
che. En voici un tout à coup, il semble pressé,
il se hâte. Point de doute, il vient louer. En effet,
le voilà qui gravit précipitamment les marches
du péristyle ; le directeur lui a tiré les deux bat-
tants de la porte, le suit au guichet et l'entend
demander d'une voix haletante et épuisée :

— Vite, vite, un aller et retour pour Vanves,
troisième.

— Quelle époque et quel métier ! s'écrie-t-il.

Et, de dépit, il rentre dans la salle où l'on

répète. Là, surprenant un vieux figurant privé
de conviction qui ne participe que très mollement
aux mouvements de la foule, — sans doute parce
qu'on le paie au-dessous du tarif — il s'emporte,
l'interpelle avec véhémence et lui reproche de ne
pas mériter son salaire. Alors, l'homme, qui, lui,
est du métier, reprend toute sa dignité sociale et
réplique, sans aucune déférence, en le toisant :

— Vous ne pensez tout de même pas que
pour ce prix-là je vais vous faire Mounet-Sully?
Non?

Mortifié par cette algarade, pour affirmer
son autorité et montrer sa compétence, il appelle
l'électricien et interrompt la répétition pour régler
un éclairage. Hurlant et gesticulant, s'époumo-
nant et jurant, je l'ai vu demander, dans une ter-
minologie inusitée, des essais de lumières et de
couleurs insoupçonnables ou ridicules. Passant
des vociférations aux blasphèmes, il humilie
l'homme de la lumière :

— Ce n'est pas ça. C'est du mauve que je
veux. Du mauve, vous entendez, idiot ! du mauve
ou du lilas. Si vous ne comprenez pas !

La scène dure, la honte couvre les visages,
et la pitié envahit les cœurs. Alors, excédé, dépassé
par son propre mépris, se sentant investi de celui
de tout le monde, l'électricien ôte sa casquette et,
avec le plus pur accent parisien :

— Du lilas, monsieur? Je regrette. Ce n'est pas la saison du lilas.

Ce même directeur connaît à peine la pièce qui se joue chez lui, mais, dans la salle vide, on peut le voir déambuler entre les rangs de fauteuils, les bousculant pour éprouver leur solidité. De temps en temps, il s'arrête devant un coin de tapis troué, il hoche la tête, et on l'entend à voix haute dire :

— Peuh ! c'est encore assez bon pour eux.

C'est lui qui, ayant engagé à deux cents francs par jour une vedette, se ravise, rappelle le comédien dans l'escalier, redemande le contrat qu'il vient de signer et, sous les yeux ébahis de son nouveau pensionnaire, porte son cachet à deux cent un francs, en lui disant : « C'est un cadeau ! », parce que, jusqu'à deux cents francs par jour, d'après les usages corporatifs, le directeur doit fournir à l'acteur ses costumes de scène.

C'est lui qui, ayant reçu une pièce en cinq actes, et ne voulant plus la jouer, persuade l'auteur de la refaire en trois actes, parce que le dédit à payer est proportionné au nombre d'actes.

C'est lui qui dit, en regardant avec tristesse un ciel sans nuages et fait pour les promeneurs : « Quel temps sinistre ! » et, lorsque vous vous exclamez de déception devant la pluie du dimanche matin, il répond, tout rayonnant :

— Il pleut pour quinze mille francs.

C'est lui qui, spécialiste du *Bottin*, fait envoyer des places de faveur, pour remplir la salle, à toute la tribu des Dupont, des Durand ou des Lévy. Et à son principal actionnaire, qui manifeste son mécontentement du vide des fauteuils, il réplique : « Mon cher, si le théâtre ne marche pas, la limonade va très bien », parce que le bar du théâtre fait tout de même des bénéfices.

Il appelle une escarpolette, une escarcelle, ou vice-versa. Au metteur en scène qui demande de placer un arbre véritable dans le décor, un if, par exemple, il accorde tout à coup, avec allégresse, sans marchander, « deux nifs ou trois nifs », s'ils sont nécessaires au succès. C'est lui qui, lisant le manuscrit, signale qu'on n'oublie pas le costume de la seconde entrée, parce qu'il vient de lire que l'acteur entre en « catimini ».

C'est lui encore qui cite dans ses bons jours ce proverbe arabe ou chinois affirmant qu'un poil de femme tire plus que neuf bœufs au labour — et qu'il paraphrase en déclarant qu'on trouve toujours, quand on sait s'y prendre, 50.000 francs dans le corsage d'une jeune et jolie fille.

Zola l'a bien connu. Dans *Zaza*, il l'avait baptisé Bordenave. Bordenave, à ceux qui lui parlaient de son théâtre, répondait déjà avec une joviale familiarité : « Dites mon beuglant ».

Directeur aussi de station balnéaire ou de jeux de roulette, traitant ou sous-traitant, il a quelque part sur la côte basque, à Biarritz ou à Saint-Jean-de-Luz, des maisons, des combinaisons, des affaires. Trafiquant par surcroît du génie ou du talent, le théâtre est pour lui une affaire de pourcentages.

On n'en finirait plus de parler de lui.

Tant d'ignorance, de calamités, de soucis et de misères, tant de basses nécessités, tant de délabrement, de contraintes et d'obligations, tant de fonctions désobligeantes ne le rendent cependant pas méprisable : tel est notre métier. L'habitude de vivre dans les passions expose à en subir l'attirance ou la pente. Occupations pernicieuses ! comme disait excellemment, au Moyen Age, Jean de Salisbury, évêque de Chartres. Par le commerce du déshabillé de l'opérette, l'industrie du lit du vaudeville, cet homme fait du théâtre un lieu bas ou un mauvais lieu, mais il subit son pouvoir mystérieux et, par miracle, il n'arrive cependant pas à être tout à fait misérable ni répugnant. Dans une époque où la base de notre système politique, où la première loi morale dans notre société est l'argent, où tout est pour et par l'argent, il est excusable. Il a souffert et souffrira suffisamment de ce métier pour mériter des indulgences plénières, et sa générosité, son dévouement, sont encore visibles dans l'amas de ses turpitudes. Même muni de principes, il ne saurait les utiliser. Vouloir que les hommes plongés dans le gouffre d'une industrie semblable cherchent à être des moralistes, c'est vraiment trop leur demander. En dépit de tout le mal qu'on en a dit, et malgré mes propres médisances, je me sens tout prêt à les absoudre et à les plaindre. Ce n'est pas la faute de ceux qui s'encanaillent si la société qui les méprise leur permet de s'encanailler ou les y oblige.

Et maintenant, nous allons considérer les fonctions de directeur du point de vue où elles sont légitimes — c'est-à-dire plausibles et efficaces — où ces prérogatives sont justifiées par des vertus professionnelles.

Cette investiture du directeur peut lui être conférée soit pour la valeur exceptionnelle de ses dons d'interprète qui font de lui un héros de théâtre, et c'est l'acteur qui devient chef de troupe ; soit encore en tant que créateur, et c'est ici la véritable autorité du théâtre qui prend légitimement rang suprême : celle de l'auteur ou du dramaturge, celle du poète ; soit par une sorte de délégation du public, c'est-à-dire de l'État, qui fait de cet homme l'élu ou le mandaté par une société et lui donne charge de l'art dramatique dans son époque ; soit, enfin, pour des compétences techniques dans l'art de monter ou d'ordon-

ner un spectacle, — et c'est, dans ce cas, le metteur en scène : le démiurge.

La fonction du directeur s'exprime alors par
le devoir et le droit de choisir, par l'élection, par
l'obligation d'orienter la cérémonie dans un sens
donné et vers un but. L'acteur, l'auteur, ou le
metteur en scène devient grand électeur de l'art
dramatique. Et c'est dans ce pouvoir qui lui est
conféré et dans la façon dont il l'exerce que nous
allons juger et apprécier son rôle de directeur.

L'acteur-directeur est celui qui reçoit une
pièce, qui se la lit, s'y distribue le rôle principal et
se la monte pour s'y produire.

Telle est la définition la plus tendancieuse
qu'on puisse en donner. Mais la déformation professionnelle chez l'acteur-directeur est une des
plus caractéristiques et une des plus graves parmi
tous les directeurs.

Voici écrit, il y a quarante ans, par Catulle
Mendès, le portrait critique du grand acteur que
nous appellerons M. X... :

« Je vais dire tout ce que je pense du grand
acteur, M. X... Un charme émane de lui, c'est
incontestable ; grand, le geste juste, l'élocution
claire, l'articulation nette même quand il parle
bas, il ajoute au charme de la vigueur. Néanmoins,

je ne suis pas sans inquiétude quant aux pièces que les auteurs nouveaux ne manqueront pas d'écrire pour lui ; il est à craindre que M. X... ne crée et ne maintienne par le succès le type de l'amant qui a l'air de ne pas aimer, le geste qui a peur du ridicule, le mot qui ne va pas jusqu'au bout de sa pensée. Deux ou trois fois déjà, M. X... est parvenu à ne pas ressembler à M. X... Il devrait s'y efforcer davantage ; il nous a montré qu'il pouvait sinon éprouver, du moins affecter, une émotion sincère. Il serait très bien qu'il renonce à son affectation et cherche à s'incarner en des personnages divers, plutôt que de continuer à jouer les X..., car alors on l'imiterait en province ».

Du fait que le grand acteur est directeur, la distribution d'une pièce, cette première traduction de la pensée du poète, si importante et si décisive, devient, comme la plupart des traductions, une évidente et nécessaire trahison.

Un grand acteur ne peut être directeur, en effet, qu'à condition que son talent ne soit ni exclusif par son genre ni trop grand par son ampleur et ses moyens, qu'il ne perde pas de vue son rôle de servant du théâtre, c'est-à-dire son rôle d'électeur dramatique, qu'il ne contraigne pas les auteurs à devenir des confectionneurs ou des fabricants de montures à son talent. L'auteur n'est plus alors qu'un constructeur de mécaniques à personnages, de trapèzes pour acrobaties sentimentales,

ou un carcassier pour feux d'artifice. Chargé d'intentions et de soins vraiment trop relatifs, il est
rabaissé au rôle de faiseur, et le miracle de la création dramatique n'est plus qu'une cuisine menacée,
comme toutes les cuisines, de figé et de refroidi.

La carrière des grands acteurs ou d'actrices
célèbres qui furent directeurs a justifié très souvent ces considérations.

On ne peut contester, par exemple, la célé-
brité de Virginie Déjazet et je ne prétends pas
nier l'existence du théâtre qu'elle a fondé ; mais
il serait bien difficile de trouver, dans l'énumération des pièces qu'elle représenta, une œuvre qui
ait eu chance de passer à la postérité ou qui puisse
tenter un lecteur d'aujourd'hui. Porté à un degré
de condensation exceptionnel, ce mélange de finesse
et d'entrain, de grâce, de bonne humeur, de malice
et d'esprit ne s'est exercé que dans des œuvres
parfaitement oubliées et dont les mérites essentiels servaient à son exhibition.

En dépit du prestige qu'elle a laissé, Sarah
Bernhardt elle-même, dès qu'elle eut quitté la
Comédie-Française pour exploiter son génie n'a
servi, à quelques rares exceptions, que des écrivains inférieurs à eux-mêmes. Hantés par son
propre personnage, la directrice et ses auteurs n'ont
cherché qu'à ranimer à son profit et au leur toutes
les héroïnes que l'Histoire ou la légende pouvaient
leur procurer. Mais que ce fût Gismonda, Izeïl,

Adrienne Lecouvreur, La Sorcière, Dalila, sainte
Thérèse ou Jeanne d'Arc, Cléopâtre ou Théodora,
la courtisane de Corinthe ou Françoise de Rimini,
l'étiquette avait beau changer : le personnage ne
changeait que pour les variations du jeu de l'actrice, et l'héroïne restait toujours Sarah Bernhardt.

Maurice de Faramond, qui fut victime, comme
auteur, de cette enflure de la personnalité, a laissé
une comédie posthume assez acerbe, intitulée
Pandolphe et Chichilla ou *Le Trust de l'Idéal*. Il
nous montre le grand acteur et la grande actrice,
tous deux directeurs, dans leurs relations avec
l'auteur que Maurice de Faramond appelle La
Balue. Lui, ne jouait jamais que François Ier,
Charlemagne, Cyrus, Annibal, Napoléon, Washing-
ton ou le Négus. Elle, était la prêtresse du plus
haut idéal, l'écuyère du sentiment piaffant et de
tous les feux du baiser, l'archivestale.

Pour faire accepter son manuscrit, La Balue
joue de la vanité des interprètes, en faisant miroi-
ter l'importance ou la longueur des rôles ; offrant
à l'un ou à l'autre le rôle de Louis XIV et de
La Vallière, sans égard au sexe de ses personnages.

Et *Le Trust de l'Idéal* se termine par les conseils
du directeur à La Balue, dont il refuse la pièce
mais qu'il engage cependant à écrire une vraie
grande œuvre.

— Je vous parle sincère, abandonnez tout
ça, ces fantaisies d'artistes. Écrivez maintenant

un rôle sérieux, un rôle ! — c'est-à-dire pour
moi seul, non pas comme celui-ci. Je parle d'un
rôle dans ma corde.

— Et lequel? demande l'auteur.

Alors, après un moment de réflexion, le grand
acteur-directeur répond simplement :

— Dieu.

L'auteur-directeur, dans l'esprit de la définition précédente, est celui qui s'écrit une pièce,
qui se la lit, se la reçoit, se la monte et se la fait
jouer. Il n'est pas besoin non plus de méditer longuement cette proposition pour en déduire que
l'auteur dramatique chargé de toutes les respon-
sabilités de son inspiration, et portant le poids de
toutes les nécessités théâtrales, va courir le grand
danger de convertir le commerce de son esprit
en commerce tout court et d'être lui-même un
négociant, enfin de ne se servir de son théâtre
que pour des fins de plus en plus industrieuses.

Et voici le portrait de ce genre de directeur-
auteur-entrepreneur. Nous l'appellerons M. Y...

De même qu'il a donné tout le divertissement qu'on pouvait espérer de lui, M. Y... a fait
tout le mal qu'il pouvait faire. Il écrira cent pièces
encore, étant jeune et tenace au labeur. Les unes
auront beaucoup de succès, les autres en auront

moins, selon le hasard de la donnée heureuse ou non, d'un rôle bien ou mal accommodé au talent d'un acteur, selon la lunaison propice ou funeste de la mode parisienne ; mais aucune ne sera un plaisir nouveau ni un nouveau fléau ; on en peut tout attendre, hormis l'inattendu.

Et quel nous apparaît-il? Le médiocre parfait. Le médiocre absolu, le médiocre idéal avec tout ce qu'il peut y avoir dans la médiocrité d'élégance, de joliesse, de sourire, d'esprit et de bel air. Il a de l'ingéniosité, il n'a pas d'invention. Il a de l'artifice, il n'a pas d'art. Il a la combinaison, il n'a pas la trouvaille. Il a la curiosité, il n'a pas l'observation. Il sait l'emploi qu'on peut faire, pour « amener » une « situation », des passions, des caractères, des incidents surtout, mais il ignore la sincérité des passions, l'intensité des caractères, et ses incidents tragiques ou comiques sont des anecdotes. Quand M. Y... se hausse à la douleur, à l'amour, à la vertu, au patriotisme, ou plus simplement à l'honnêteté, il se sublimise jusqu'à croire que Shakespeare, sans aucun doute, n'a dû son génie qu'à un metteur en scène.

Et cependant, en dépit de la rigoureuse ressemblance de ce portrait, malgré l'ombre déshonnête et humiliante que jette sur le théâtre l'écrivain entrepreneur de spectacles, il faut reconnaître et déclarer que l'auteur est le maître d'œuvre, le seul créateur dans le théâtre et que sa direction est la seule qui soit complètement justifiée.

Même quand il n'administre pas un théâtre, c'est tout de même l'auteur qui donne son sens et son orientation à la profession. Quel que soit son talent ou son inspiration, celui qui écrit l'œuvre est le véritable chef.

C'est lui qui suscite, élève l'acteur et pourvoit à ses besoins, qui détermine le metteur en scène et réforme le théâtre. Il est le point de départ de toutes les influences efficaces ou marquantes : théories, révolutions, écoles ou innovations en matière dramatique sont directement ou indirectement le fait de l'auteur. C'est par Gogol et Tchekov, en Russie, que Stanislawski trouve son réalisme ; par Zola, Oscar Méténier et les Goncourt qu'Antoine a instauré et pratiqué le naturalisme. C'est par Shakespeare que Gordon Craig a rénové le sens de la mise en scène et de la décoration ; par Wagner qu'Adolphe Appia a créé sa conception de la mise en scène fondée sur l'expression musicale.

Délégué par l'excellence de ses dons ou par cette suprématie du talent qui définit le génie, l'auteur prend naturellement son rang, et tous les autres directeurs ne sont alors que des suppléants au vrai titulaire, à la fonction créatrice. « Les institutions, a dit un philosophe, ne sont que l'intérim des hommes de génie ». On peut en dire autant des directeurs de théâtre. L'écrivain est

l'élément principal et actif et le véritable directeur : « Au commencement était le verbe ».

Parlons, maintenant, du directeur-metteur en
scène. Dans la salle déserte, seul au milieu de ce
glacier en velours des fauteuils vides, un homme
est assis, attentif jusqu'à la crispation, tout sens,
tout entendement et toute sensibilité aussi ; pen-
ché vers la scène où répètent les comédiens, les
yeux fixés sur ce trou béant, sans décor et presque
sans lumière, où évoluent des gens disparates
d'humeur et de vêtements, le sourcil contracté,
l'oreille tendue pour écouter un texte encore
imprécis dans son émission ou dans sa compréhension, à peine teinté du sentiment où le poète
l'a écrit et presque aussi incolore que les visages,
cet homme est le metteur en scène.

Dans les limbes où se préforme le spectacle,
dans cette lente organisation où se composent
les linéaments de la représentation, où l'œuvre
se préfigure, où le ferment dramatique travaille
mystérieusement, il surveille, avec patience, avec
discernement, avec une singulière tendresse, les
nombreux éléments épars qu'il a choisis et ras-
semblés pour animer l'œuvre de l'auteur, acti-
vant les uns ou modérant les autres suivant leur
paresse ou leur vivacité, mais les laissant cepen-

dant dans une liberté nécessaire à leur vie personnelle et à leurs réactions, pour les acheminer
doucement vers une composition dont l'expression définitive n'apparaîtra que dans leur union
parfaite devant le public. Ce métier s'exerce par
une intuition, une détection, une prémonition
spécifiques, une spéciale alchimie dont les éléments de transmutation sont faits de mots, de
sons, de gestes, de couleurs, de lignes, d'évolutions, de rythmes et de silences, et aussi de cette
impondérable matière dont sont tissus les sentiments qui vont habiller et revêtir l'œuvre de son
rire ou de son émotion.

Jardinier des esprits, médecin des sentiments,
horloger des paroles, accoucheur de l'inarticulé,
ingénieur de l'imagination, cuisinier des propos,
régisseur des âmes, roi du théâtre et valet de
chambre de la scène, escamoteur ou magicien,
essayeur et pierre de touche du public, conférencier, diplomate, économe, nourrice ou chef
d'orchestre, peintre et costumier, exégète, intran-
sigeant ou opportuniste, convaincu et hésitant,
on a cent fois tenté de le définir, mais il est indéfinissable, car ses fonctions sont indéfinies. Tout
amour et toute tendresse pour ceux qu'il a choisis
ou pour l'œuvre qu'il travaille, son souci est seulement de voir poindre, en se haussant, cet au-delà
miraculeux qui s'exprime par la réussite.

Mettre en scène, c'est vivre dans les affres

de l'oppression et les délices de l'angoisse. C'est, dit Paul Valéry, « la tragédie de l'exécution ». Le metteur en scène, quand il est directeur, choisit d'abord la pièce, distribue les rôles à des acteurs de sa prédilection, fait dessiner ou dessine les maquettes des décors et des costumes dont il surveille la réalisation, tandis que, simultanément, il organise et dirige les répétitions. Il compose les entrées et les sorties des comédiens, des déplacements sur la scène, cette espèce de danse que sont les mouvements exécutés durant le jeu. Il règle les bruits de coulisses, la musique, et distribue sur le spectacle la lumière ; bref, il ordonne d'ensemble et en détàil tous les gestes et toutes les particularités de cette cérémonie complexe, redoutable et délicieuse que sera la représentation. Détourner les esprits, incliner les cœurs, mettre en état l'humain et le sensible jusque dans l'inanimé ; révéler l'inexprimé et même l'inexprimable, constamment provoquer et attendre, tâtonner avec science, concilier et réconcilier, opposer, créer la ferveur dans l'irritation, échauffer l'indifférence, affaiblir la force, conjuguer l'inégal, harceler, encourager, subir, apprivoiser, susciter, aplanir — il n'est pas un métier ou une technique dont on ne puisse employer les termes pour exprimer un aspect de cette activité.

Mettre en scène, c'est gérer les biens spirituels de l'auteur, en tenant compte des nécessités temporelles du théâtre.

C'est se placer du point de vue d'un soir et du point de vue de l'éternité.

C'est étudier comme une formule magique le texte d'une pièce, et pratiquer de concert avec son auteur la nécromancie. C'est le contraire de la critique : ballottés d'un côté par des lois, des règles, et de l'autre par leur plaisir, ces messieurs de la critique vivent dans le théâtre en essayant d'une main de mesurer ce plaisir à une vieille toise et en visant la pièce de l'autre main, avec une vieille jumelle marine. Mettre en scène, c'est exactement le contraire : c'est chercher constamment des raisons d'admirer et d'aimer.

C'est vivre selon les règles du poète.

C'est une manière de se comporter avec les dieux de la scène, avec le mystère du théâtre.

C'est une façon d'être honnête et aimable dans l'art de plaire. Et c'est aussi, quelquefois, se tromper.

Autrement dit, le metteur en scène est une manière d'amoureux qui tire son talent, son invention et la joie de son travail, du talent, de l'invention et de la joie qu'il emprunte aux autres ou qu'il suscite en eux.

Que de soins et que d'amour !

Mettre en scène, c'est, avec patience, avec modestie, avec respect, avec angoisse et délectation, aimer et solliciter tous les éléments animés ou inanimés, êtres et choses, qui composeront le spectacle, les incliner vers un certain état. C'est provoquer et attendre le mystère de leur efficacité interne, de leur présence ou de leur incarnation dramatique.

Dans ce costume de la pièce qu'est le décor, bois, peinture, clous et lumière, par exemple, ne sont pas, comme on pourrait le croire, des choses mortes, des éléments inorganiques, mais de redoutables entités dont la bienveillance ne s'accordera à l'œuvre et aux interprètes que par un accord secret et longuement prémédité.

Et cette communion spirituelle entre la matière et le verbe se renouvelle et se complète avec les comédiens.

Mettre en scène, c'est, avec amabilité, aider les acteurs qui s'exercent pour la mémoire, jusqu'à ce que le texte, par ce massage patiemment renouvelé de la répétition, se dépouille de son sens livresque et s'imprègne de leur sensibilité.

C'est rendre l'acteur ou l'actrice « confortables », et trouver les moyens d'y parvenir. C'est une manière de commander et d'aimer une troupe.

C'est encore ravitailler, alimenter, sustenter dramatiquement les comédiens, les encourager et les satisfaire, leur trouver un régime ou une diète scéniques ; c'est constituer et créer cette famille qui se recomposera à chaque pièce suivant

une parenté nouvelle et qu'on appelle une troupe·
Une troupe qui répète est une famille dans l'intimité. C'est même, à ma connaissance, la plus parfaite réalisation de la famille et c'est pour cela
qu'il est si blessant pour nous de voir des curieux
assister à une répétition. La présence d'un étranger dans une salle où répètent les comédiens est
non seulement inopportune, mais quasi impu-
dique.

Mettre en scène enfin, c'est servir l'auteur,
l'assister par une totale, une aveugle dévotion qui
fait aimer son œuvre sans réserve. C'est trouver
ce ton, ce climat, cet état d'âme qui a présidé chez
le poète à la conception, à l'écriture, source vive
et flux qui doit atteindre et innerver le spectateur
et dont l'auteur lui-même n'a parfois ni science ni
conscience. C'est réaliser le charnel par le spirituel.
C'est une manière d'agir avec une œuvre, avec
les lieux et les ornements dont on dispose pour
la monter, avec les interprètes qui la joueront,
avec le poète qui l'a conçue ; enfin, — et c'est
ici le dernier point — avec le public à qui elle
est destinée. Chargé d'affaires du public, le metteur en scène veille aux rapports de la scène et
de la salle, du spectacle et des spectateurs. C'est
lui qui abouche les interprètes et les auditeurs.
Faire voir et faire entendre.

Il organise cette zone, ce lieu géométrique
où acteurs actifs et passifs, la scène et la salle

se rejoignent, où le spectateur pénètre l'interprète et s'identifie à lui par ses propres qualités d'acteur, et où l'interprète satisfait ce besoin qu'il a de s'éprouver et de se délivrer en se reflétant dans celui qui le regarde et l'écoute ; il organise et utilise l'attention pour une mystérieuse conjugaison, une communion où le mimétisme de l'acteur et celui du spectateur s'équivalent et se satisfont. Entre la salle et la scène, il prévoit et ordonne la réceptivité et l'émission.

Jean Giraudoux, l'auteur de *La Guerre de Troie n'aura pas lieu,* dit modestement que l'auteur ne fait pas sa pièce, mais que c'est le public qui la fait avec les éléments que lui fournit l'auteur. « Le public, dit-il, entend et compose à son gré, suivant son imagination et sa sensibilité. » Et il compare une œuvre dramatique à une pièce de faïence que l'on a peinte de couleurs fausses et dont les vraies couleurs et le dessin achevé n'apparaissent qu'après la cuisson ; cette épreuve du feu, c'est l'achèvement par la réalité qu'est le contact avec une audience.

Et en tentant de définir ce rôle du metteur en scène, sur lequel on ne cesserait pas, non plus, d'épiloguer, j'éprouve plus que jamais la vérité de cette affirmation qu'il est plus aisé de bien faire son métier que d'en bien parler.

En résumé, et pour ma part, la mise en scène est un tour de main, un tour de l'esprit et du

cœur, un comportement de la sensibilité où doit
entrer tout ce qu'il y a d'humain. Pas plus. Ni
moins.

*
* *

Il n'y a pas de théorie de la mise en scène
et il ne saurait y en avoir car les théories sont le
fruit de l'expérience et au théâtre aucune expérience ne se renouvelle.

Il y a deux sortes de metteurs en scène :
ceux qui attendent tout de la pièce, pour qui
l'œuvre est essentielle, et ceux qui n'attendent
rien que d'eux-mêmes et pour qui l'œuvre est
une occasion.

Il y a deux sortes d'ouvrages dramatiques
et deux sortes d'auteurs.

Il y a d'abord le théâtre théâtral ou spectaculaire, celui qui donne toute l'importance au
jeu, au rythme, à la musique, aux lignes, aux
couleurs, aux yeux ou à l'acteur, c'est-à-dire au
spectacle, et dans lequel le metteur en scène peut
s'en donner à cœur joie.

Dans ce théâtre théâtral, on peut ranger
les mimes de la décadence romaine, une partie du
théâtre de la foire, le ballet, une bonne part de
l'opéra, et toute l'opérette, la féerie et le mélodrame, toutes les productions où l'acteur, le chan-

teur, les décors, les machines, sont l'essentiel du divertissement.

Et il y a le théâtre des dramaturges et des poètes, celui qui donne l'importance au texte et n'admet que par surcroît et comme complément les éléments spectaculaires.

Ce théâtre poétique est celui des tragiques grecs Eschyle, Sophocle, Euripide, c'est celui de Sénèque ; de l'humanisme renaissant avec Shakespeare ; des classiques avec Corneille, Racine, Molière, puis Marivaux, Beaumarchais, Musset ; ces cimes de l'art dramatique qu'un de nos metteurs en scène a définies un jour, dans un mouvement d'irritation, sans doute : « Les gens de lettres qui écrivent pour le théâtre ».

Il y a des œuvres durables et d'autres saisonnières. La mode préside toujours à leur écriture et à leur conception ; mais, lorsqu'elles atteignent une généralisation où seul *l'humain* est en question, ce sont des œuvres *classiques*.

La mise en scène est ici interne, c'est-à-dire que le travail du metteur en scène sera de surveiller la façon dont la pièce se comporte par rapport à ses suggestions et d'incorporer à l'œuvre ses inventions sans qu'elle en soit altérée ou déformée.

Dans le théâtre spectaculaire, au contraire, la mise en scène est externe : les inventions, les apports, baignent l'œuvre. Le texte n'est plus, alors, qu'un prétexte ou un support à l'acteur, aux jeux de scène, aux décors et le metteur en scène, empruntant surtout au magasin d'accessoires du théâtre, ou à celui de son imagination, rivalise souvent avec le conducteur de cotillon.

La tendance naturelle d'un metteur en scène est de voir les œuvres qu'il choisit et qu'il monte sous un biais particulier — qui est l'indice de son tempérament dramatique — et de refaire les pièces.

Presque tous les metteurs en scène, après quelques années de modestes et parfaits services, rêvent de donner enfin leur mesure, à la grandeur de leur imagination. Et, comme l'apprenti qui se croit passé maître, comme ce cordonnier que le peintre Apelle rappelait à l'ordre en lui conseillant de ne pas critiquer au-dessus de la chaussure, ils sont pris du désir violent de refaire les chefs-d'œuvre et d'exprimer enfin, à cette occasion, les conceptions personnelles qu'ils ont acquises.

En illustration de cette déformation professionnelle, je citerai une phrase qu'on a pu voir imprimée à propos de la mise en scène au cinéma du *Songe d'une Nuit d'Eté*. C'est un des plus grands metteurs en scène qui l'a écrite :

« Le rêve de ma vie était de montrer une œuvre sans que rien vînt gêner mon imagination. »

Cela n'est déjà pas mal pour un homme dont la profession est de servir les autres. Mais il ajoute :

« J'ai posé comme condition que cette œuvre représenterait Shakespeare, et rien que Shakespeare. »

Vous sentez, j'espère, dans cet aveu, et l'hommage qu'il a voulu faire à Shakespeare, et l'opinion qu'il a comparativement de lui-même. Et, par là-dessus, il conclut :

« Mon rêve vient de se réaliser. »

Ce rêve était à votre disposition dans les salles parisiennes de cinéma. On y voyait Shakespeare, à l'usage des calendriers du nouvel an que distribuent les P. T. T.

Un confrère, assez enclin à cette professionnelle présomption, devant la pénurie actuelle d'œuvres dramatiques, en est arrivé à faire lui-même ses pièces.

Comme je lui demandais la façon dont il travaillait : « Le plus difficile pour moi, dit-il, c'est la mise en scène. Une fois que la mise en scène est faite, j'écris la pièce très facilement ».

Il ajouta : « Mon cher, il n'y a là rien d'étonnant ; puisqu'on écrit une mise en scène sur un texte, pourquoi ne pourrait-on pas faire un texte sur une mise en scène? »

Le plus grand metteur en scène n'égalera jamais dans ses réalisations, les rêves, les imaginations du plus humble de ses spectateurs.

En réalité, une pièce fait sa mise en scène elle-même ; il suffit d'être attentif et point trop

personnel pour la voir prendre son mouvement,
travailler les acteurs : agissant sur eux, mystérieusement, elle les éprouve, les grandit ou les
diminue, les épouse ou les rejette, les nourrit, les
déforme et les transforme. Dès qu'on commence
à la répéter, une vraie pièce s'anime comme le
bois travaille, comme le vin fermente, comme la
pâte lève. Elle prend son élan et, peu à peu, semblable à l'apprenti sorcier, le metteur en scène
effrayé, ravi et impuissant à la fois, la voit se
mouvoir avec les interprètes qui s'animent, et
assimiler, rejeter ou emporter comme fétus de
paille toutes ses indications dans une sorte de
naissance et d'éclosion véritables.

Il y a, dans le métier de metteur en scène,
un mal d'immodestie qui finit par atteindre les
plus sincères d'entre eux. Cette liberté de travailler librement dans les œuvres des autres, d'y
patauger, de les tripatouiller et de les refaire,
est un phénomène couramment observable, et,
après quelques heures de conversation avec soi-
même ou avec un confrère, il faut avoir la tête
bien faite et le pied solide pour ne pas être pris
de ce vertige où, persuadé de ce que l'on veut
croire, on est près de conclure que Shakespeare
ou Gœthe n'entendaient rien au théâtre.

Le grand art dramatique est mystère.

On peut parler avec certitude de grande
œuvre dramatique quand le metteur en scène,

en toute bonne foi, s'avouant qu'on pourrait construire ou écrire autrement la pièce, n'a cependant plus rien à dire ; quand, malgré toute l'envie qu'il a de refaire la pièce, il l'accepte à peu près telle qu'elle est écrite. Un autre metteur en scène à qui je demandais ses projets me confia qu'il était désespéré, car il venait de travailler sans résultat, pendant deux mois, sur *Le Malade Imaginaire.* Comme je m'étonnais, il me dit :

— Oui, je viens d'y passer tout mon été. J'ai cherché des éclairages en-dessus, en-dessous, de côté ; j'ai cherché le décor, les mouvements de scène. Il n'y a rien, rien à faire, tout est fait... c'est la pièce parfaite... c'est du génie.

C'est le même homme, d'ailleurs, qui me définissait un jour sa conception de la mise en scène en déclarant :

— Moi, mon rôle commence, la pièce m'intéresse au moment où le texte finit.

Et j'ai entendu l'un des plus grands d'entre nous déclarer un jour, dans un mouvement de révolte et de dégoût :

— J'en ai assez ! Toutes les pièces sont les mêmes. Mon travail me fatigue et m'écœure. Je suis plus grand que ce que je fais.

A ce propos il faudrait faire l'éloge de la contrainte et de l'insuccès au théâtre et distinguer aussi de cette allégresse intérieure nécessaire au travail, le goût de se faire plaisir à soi-même.

En général, le metteur en scène, suivant son tempérament, monte les pièces qu'il éprouve, qu'il aime, et déforme la plupart des autres selon son imagination.

Ce n'est pas par goût du dénigrement que je parle ainsi, mais dans le dessein de caractériser tout ce qui peut être obstacle à la production dramatique.

Et s'il y avait une conclusion à tirer, je voudrais que ce fût l'éloge du professionnel.

Etre professionnel, c'est être authentique. C'est la seule façon d'être vrai, de posséder et de pratiquer une vertu de vérité. Car rien ne compte que ce qui est vrai, c'est-à-dire qui a une attache, un lien, une racine.

Il y a dans notre époque, parmi tant d'autres erreurs sur lesquelles nous vivons, un mensonge social qui accorde au relatif et au contingent une véritable authenticité. A cause de je ne sais quelle commercialisation ou quel industrialisme, l'intermédiaire, le revendeur et le directeur passe-partout ont pris le pas sur l'artisan.

Il serait peut-être temps qu'on s'en aperçût, non que je désire humilier personne, mais afin que se rétablisse une juste équité, que ceux-là mêmes qui sont les ouvriers véritables reprennent conscience non seulement de leur dignité, mais aussi de leurs droits. En admettant plus longtemps que les soi-disant organisateurs — les marchands

du temple — soient rois dans le royaume des tra-
vailleurs, nous risquons de tout compromettre.

Dans ce court espace de temps qui nous
est réservé et qui s'appelle la vie, il importe que
ceux dont la sincérité et la vocation cherchent
à s'exprimer non pour des fins de lucre ou de gloire,
mais pour la satisfaction plus légitime de leurs
goûts et de leur désir de perfection, retrouvent,
enfin, une sérénité, une tranquillité, nécessaires
à leur paix intérieure et à leur équilibre, comme
à l'équilibre social.

Il est temps que le professionnel soit séparé,
encouragé et protégé par la société pour laquelle
il travaille et que l'État reconnaisse déjà un peu
les siens.

Quant à moi, notre situation fut-elle plus
menaçante, ou plus misérable encore, je m'en
consolerais en songeant que l'époque dans laquelle
on a la joie de peiner pour un métier qu'on aime
est encore la meilleure, prenant au surplus à
mon compte l'épigraphe de Diderot : « Si ces pensées ne plaisent à personne, elles pourront n'être
que mauvaises. Mais je les tiens pour détestables
si elles plaisaient à tout le monde ».

En l'absence du talent ou du génie, la forme
la plus souhaitable de direction, la meilleure

organisation théâtrale est la chorégie, dont nous nous sommes tant éloignés, depuis les Grecs et que nous voyons réapparaître, dans certains pays neufs. Organe de coordination entre les éléments professionnels, ordonnateur de la cérémonie dramatique, le directeur est ici le véritable mandataire du public. Suscité et désigné par le peuple, protégé, aidé et encouragé par l'État, il agit au nom de la collectivité et retrouve son vrai rôle social.

Si l'on excepte aujourd'hui nos théâtres subventionnés, cet homme public qu'est le directeur, a une charge publique, mais aucunement officielle.

Cet éducateur chargé des plaisirs de la masse n'a aucune obligation envers elle et n'est nullement soutenu. Le théâtre est toujours la secrétion d'une civilisation ; la société, dans sa forme actuelle, a le théâtre qu'elle mérite.

Un directeur de théâtre est un citoyen qui, muni du bail d'un théâtre, du moment qu'il respecte les traités rigoureux de la Société des Auteurs, qu'il paye à l'Assistance Publique et à l'État les taxes que ceux-ci viennent prélever — par précaution — jusqu'à ses guichets, qu'il satisfait plus ou moins à tous les devoirs dont « jouissent » les citoyens, a le droit de donner au public des spectacles étagés entre la danse du ventre chaste ou lascive et la représentation la plus ésotérique des tragiques grecs.

Ce qui veut dire qu'un directeur de théâtre exerce une profession libérale, « profession dans laquelle l'intelligence a plus de part que la main » dit le dictionnaire, et que cette mission redoutable et culturelle n'est même pas contrôlée par l'État, lequel ne se soucie que d'exiger 12 % du chiffre d'affaires de ce commerçant. Il ne faut donc pas s'étonner si la profession est accessible aussi bien aux négriers qu'aux autres citoyens et si l'on y rencontre des personnages qui n'honorent personne.

Donc, cette cérémonie qu'est une représentation et qu'on trouve à l'origine de l'humanité, d'où sont nés des religions et des cultes, dont l'histoire même atteste l'importance, le théâtre, ne bénéficie même pas de la protection ou du contrôle qu'on accorde aux huissiers, aux produits agricoles, aux médecins ou aux pharmaciens, et la police exige d'un marchand forain ou d'un montreur d'ours des références qu'on ne demande pas à un directeur de théâtre.

Il y a un ordre des avocats, une chambre des notaires, il existe pour la plupart des métiers des syndicats ou des chambres patronales mais il n'y a pas d'ordre dramatique. La corporation théâtrale est encore à organiser.

Certes, le théâtre a toujours été, comme la

galanterie, régi par des législations à retardement
ou capricieuses, des arrêtés ou des décisions souvent arbitraires et d'un parfum très féodal. Mais
balloté longtemps entre l'humeur du Prince et la
rigueur de l'Église, le théâtre se voit encore aujour-
d'hui malmené par l'Assistance Publique, succes-
seur des frères mendiants.

Depuis quelques années, déjà, une série d'organisations, de sociétés, d'associations, de syndicats
ou groupements divers, se sont constitués, en vue
d'aplanir les difficultés, en un mot de guérir tous
nos maux professionnels. Et voici que pour trancher ces nœuds gordiens dramatiques, pour résou-
dre ces énigmes du sphinx, pour redresser les
torts du théâtre et défendre enfin Thalie et Melpomène, s'est élevée une nuée de sociétés, dont la
liste incomplète et prise au hasard rappelle une
énumération de Rabelais. Qui ne serait tranquille
en effet en songeant que le théâtre a pour le défendre de nos jours : l'Union Foraine de Paris, l'Union
des Artistes de Langue Française, le Syndicat des
Artistes Musiciens de Paris, l'Union Artistique
de France, l'Union Théâtrale des Grands Hôtels,
la Société des Spectacles Modernes, l'Association
des Comédiens Combattants, l'Association de la
Critique Dramatique et Musicale, l'Association
des Artistes Lyriques des Théâtres, l'Association
Professionnelle des Directeurs de Théâtres de
Province, l'Association des Médecins de Théâtre,

l'Association de Secours Mutuel des Artistes Dramatiques, la Boîte à Sel, l'Association des Contrôleurs de Théâtre, l'Association Amicale des Administrateurs de Théâtres et Spectacles de Paris, les Prévoyants du Théâtre, les Amis du Châtelet, ceux de l'Odéon, la Société des Habilleuses, la Société des Auteurs et Compositeurs et Éditeurs de Musique, l'Amicale des Régisseurs de Théâtre, le Syndicat des Machinistes et des Ouvreuses, la Société du Théâtre Ambulant, la Société des Auteurs, la Société Internationale des Artistes Interprètes, la Société du Casino de Vichy, l'Association des Spectateurs, l'Association des Directeurs, sans compter tous ceux que j'oublie.

C'est parce que dans chacun de ces groupements le problème a été posé sous un aspect fragmentaire ou sous un angle d'incidence réduit, que l'intérêt même de la profession s'y trouve dispersé et que les efforts de tous ces partisans desservent leur cause bien plutôt qu'ils ne la soutiennent.

Cette dispersion, cette fragmentation des intérêts de la profession, cette désorganisation organisée en toute bonne foi, ce désordre dans lequel se trouvent actuellement les diverses classes de l'art dramatique, groupées soigneusement et jalousement séparées, et qui ont fini par opposer leurs intérêts les uns aux autres, ce chaos, disons le mot, est la conséquence d'un sens d'organisation sociale à politique étroite, dont les résultats s'avèrent aujourd'hui, non seulement dans le théâtre, mais dans bien d'autres domaines, nettement déficients.

Cette décomposition du corps théâtral s'est déclarée du jour où une manière de syndicalisme a soufflé à son tour sur le théâtre, comme ailleurs, et où un chacun s'est mis à penser tout seul, à prendre conscience de ses droits, en oubliant ce qu'on a l'habitude d'appeler sévèrement ses devoirs, c'est-à-dire le plaisir, le goût, la vocation, l'amour de son métier.

L'État théâtral est devenu une champignonnière de syndicats.

Dans aucun de ces groupes il n'y a de préoccupation vraie du métier, et la notion professionnelle dépouillée de ce qu'elle a de plus noble, noyée dans une série de revendications et de buts particuliers, atteint la plénitude de son expression avec la plus entière bonne foi dans une série de réclamations sordides.

Or, par une étrange ironie, le statut essentiel de chacun de ces organismes, je veux dire de tous, pourrait ainsi s'énoncer :

1º Renouer les liens de solidarité et de fraternité ;

2º Faciliter l'exercice de la profession ;

3º Soutenir et défendre les intérêts matériels et moraux de ses membres.

Pas une clause cependant qui ne menace quelqu'un, qui ne vise un autre groupement en cherchant à contrarier sa force ou à modérer son action ; chacun retranché férocement dans ses intérêts, on n'aperçoit plus qu'une forêt de défenses, un maquis d'embûches, un hérissement de protection entre gens du même métier, c'est-à-dire une « association entre personnes qui exercent une même profession et qui ont des devoirs et des privilèges communs ». La définition de la corporation arrive à exprimer et à dire catégoriquement le contraire de ce qu'elle devrait être.

Trois d'entre ces groupements dominent naturellement les autres et ont acquis une puissance qui est fonction de leur ancienneté. C'est, par ordre d'importance croissante, l'Union des Artistes, l'Association des Directeurs et la Société des Auteurs, celle-ci, la plus ancienne et la plus puissante, qui représentent assez bien à leur façon le tiers état, le clergé, et la noblesse des théâtres.

L'Union des Artistes a pris une fausse position. S'interdisant par un étrange scrupule toute tendance artistique, elle milite seulement pour la prospérité matérielle de ses adhérents, et ne s'est pas aperçue que, de ce fait, l'armée de ses 6.000 membres, qui pourrait trancher de tout dans la profession, a opté définitivement pour le temporel contre le spirituel.

L'Association des Directeurs, groupe flottant

et incomplet, prend dans cette comparaison le rang du clergé. La diversité des exploitations, les craintes incessantes d'un métier qui s'égale à celui du nautonnier à travers les orages, les caprices de la fortune ou de la chance qu'ils subissent, le contrat draconien de la Société des Auteurs qui jugule leur activité, les charges exorbitantes dont l'État et l'Assistance Publique les accablent, laissent ses membres soucieux et résignés dans une sorte de « société amicale » un peu molle, une coterie d'affectueuse détente, sorte de cercle qui n'est ni obligatoire, ni limité comme la Chambre des Notaires, ni rigoureux comme peut l'être l'ordre de la Légion d'Honneur.

Le troisième groupe, le plus puissant, celui qui est, à juste titre, la noblesse du théâtre, est la Société des Auteurs, fondée par Beaumarchais et dont tous les auteurs, par force d'intérêt, sont contraints de faire partie. Elle a atteint ce résultat magnifique de pouvoir contrôler, à la suite de l'État et de l'Assistance Publique, toutes les salles de spectacles et de faire prélever les droits de ses membres en pourcentage sur les recettes, leur assurant d'autre part une sécurité, une protection et des avantages moraux considérables. Mais, malgré sa bonne volonté, ne pouvant à aucun moment épouser les variations commerciales de l'industrie théâtrale, elle n'est au demeurant qu'un modèle de société fermière de perception. Heureuse

et prospère ! Je ne crois pas, en pensant à Beaumarchais, qu'aux vertus singulières qu'elle exige
des directeurs, il y ait beaucoup de ses membres
qui aient envie d'être exploitants.

Dominant le champ d'un triangle, assis chacun à un sommet, acteurs, directeurs et auteurs
regardent en augures, impartiaux et passionnés
à la fois, les problèmes les plus divers s'y écraser,
s'y concasser, comme un train de voyageurs ou
une théorie d'avions — c'est le jeu des jonchets —
et chacun cherche dans cet amas de bois cassé à
tirer sans rien y déranger, sans attirer l'attention
des autres et sans risques, l'épave dont il fera
provende ou la brindille qui servira à son nid.

Il faudrait plus de place pour faire une étude
et une critique juste et complète de ces trois corps
constitués, pour montrer entre eux le manque
total de lien et de liaison, pour expliquer comment
chacun travaille obligatoirement dans un sentiment de défense, comment la force des choses a
créé l'égoïsme des partis, et comment, parmi eux,
la passion pour la chose théâtrale est aujourd'hui
morte, ou plutôt, inutilisée.

N'est-ce pas peut-être à la mort de cette
passion, à la destruction du sens de la corporation,
à l'absence de confraternité et de solidarité, à
l'oubli de l'affection professionnelle, que l'on doit
imputer le sentiment de malaise et de crise qui

nous fait prendre pour un mal véritable les vicissitudes de notre métier?

Ce qu'il faudrait envisager, ce sont les intérêts professionnels véritables, ceux qui font du théâtre une carrière, un édifice public dans la cité et dans l'État : c'est le théâtre considéré dans ses nécessités techniques, urbaines, et nationales. Ces trois adjectifs suffisent à l'établissement d'un programme.

Le théâtre est aujourd'hui une affaire d'État. Reste à savoir si l'État veut s'occuper des affaires du théâtre.

L'importance de cette industrie est d'intérêt public ; son art, sa propagande, son influence sur la culture et sur l'éducation, le calme et le réconfort qu'elle peut apporter en des moments troubles, ont déjà été l'objet de soins attentifs dans d'autres pays où le théâtre est moins grand que chez nous.

Il faut que l'État travaille à la reconstitution d'une corporation du théâtre.

Et voici, sans hésitation, ce que je propose à mes confrères comédiens et auteurs, à l'Union des Artistes, à l'Association des Directeurs et à la Société des Auteurs Dramatiques, à toutes fins utiles et pour le plus pressé de ce qui nous divise :

MONSIEUR LE MINISTRE,

« *La littérature étant de votre département, je pense qu'il faudrait vous en occuper.* LES THÉATRES FONT PARTIE DE LA GLOIRE NATIONALE.

Prend-on en France à tâche de dégrader les Lettres? Et ne dirait-on pas que c'est la mer à boire que de faire mouvoir les machines de l'Opéra?

La République, qu'est-ce autre chose que l'intelligence occupant toutes les sommités de l'ordre social?

Le théâtre est important sous beaucoup de rapports, il intéresse la morale publique et est lié au maintien du bon goût et au progrès des lettres, il ne doit point être négligé.

Etant dans l'intention d'encourager les sciences, les lettres et les arts qui contribuent éminemment à l'illustration et à la gloire des nations, désirant non seulement que la France conserve la supériorité qu'elle a acquise dans les sciences et dans les arts, mais encore que le siècle qui commence l'emporte sur ceux qui l'ont précédé, voulant ainsi connaître les hommes qui auront le plus participé à l'éclat des sciences, des lettres et des arts, nous avons décrété et décrétons ce qui suit :

DIRECTEURS. — *Tout Directeur de Théâtre devra être breveté. Il sera tenu de se présenter au Ministre de la Police pour s'y faire reconnaître en cette qualité.*

Tout entrepreneur qui voudra obtenir l'auto-
risation d'établir un théâtre dans la capitale sera
tenu de faire la déclaration prescrite par la loi et de
justifier devant le Ministre de l'Intérieur des moyens
qu'il aura pour assurer l'exécution de ses engage-
ments.

Les Directeurs, sur lesquels viendront des notes
favorables, ceux qui ont fait le meilleur choix des
pièces, qui ont le plus soigné les représentations, qui
ont enfin rempli tous leurs engagements, sont dans
le cas d'obtenir des récompenses et des encourage-
ments.

Les acteurs qui se conduisent bien et qui font
preuve de talents distingués sont facilement suscep-
tibles d'obtenir des marques de satisfaction de la
part du Ministère.

DROITS D'AUTEUR. — *Les auteurs et entre-*
preneurs sont libres de déterminer entre eux, par
des conventions mutuelles, les rétributions dues au
premier, par sommes fixes ou autrement.

Tout Directeur, tout entrepreneur de spectacle,
toute association d'artistes qui aura fait représenter
sur son théâtre des ouvrages dramatiques au mépris
des droits et règlements relatifs à la propriété des
auteurs sera puni d'une amende et de la confiscation
des recettes.

LOYERS. — *Si les propriétaires des salles de*
spectacles, abusant de la nécessité où se trouvent
les Directeurs de se servir de leurs salles, portaient

le loyer à un prix excessif, la principale autorité administrative du lieu fixera elle-même ce loyer d'après les prix qui étaient perçus avant la nouvelle organisation des théâtres.

Tout entrepreneur qui aura fait faillite ne pourra plus rouvrir un théâtre.

ADMINISTRATION ET FINANCES DES THÉATRES. *— Les théâtres qui se trouveraient en état de déficit et hors d'état de couvrir leurs dépenses par leur produit, seraient forcés de se liquider dans un délai fixé, afin de ne point aggraver encore le sort de leurs créanciers.*

DROITS. *— Les représentations gratuites et à bénéfice seront exemptes des droits perçus en faveur des pauvres et des hospices.*

ABUS. *— Les spectacles n'étant pas au nombre des jeux publics auxquels assistent les fonctionnaires en leur qualité, mais des amusements préparés et dirigés par des particuliers qui ont spéculé sur le bénéfice qu'ils devront en retirer, personne n'a le droit de jouir gratuitement d'un amusement qu'un entrepreneur vend à tout le monde. Les autorités n'exigeront donc d'entrée gratuite des entrepreneurs que pour le nombre d'individus jugés indispensables pour le maintien de l'ordre et de la santé publique.*

Les officiels appelés par devoir dans les différents théâtres sont connus des contrôleurs et n'ont pas besoin pour y entrer de billets qui ne servent absolument qu'à des personnes de leur connaissance.

FAVEURS. — *Toutes les réserves de loges, entrées de faveur ou de bienveillance, billets gratis et facilités semblables sont supprimés, sauf les entrées personnelles des auteurs.*

BILLETS A DROIT. — *Les entrepreneurs de spectacle ne pourront faire distribuer un nombre de billets excédant celui des individus que leurs salles peuvent contenir.*

AGENCES DE THÉATRE — MARCHANDS DE BILLETS. — *Il est défendu à quelque personne que ce soit d'acheter les billets au bureau ou ailleurs pour les revendre au public.*

ÉPURATION DU THÉATRE. — *Les spectacles de curiosité seront soumis à des règlements particuliers et ne porteront plus le titre de théâtre.*

PROVINCE. — *Dans les grandes villes, les théâtres seront réduits au nombre de deux, dans les autres il ne pourra en subsister qu'un.*

Dans les villes susceptibles d'avoir un théâtre et qui n'ont point encore de salles communales ou particulières, il doit être avisé au moyen d'en faire construire un. En général, il doit être pris autant que possible, des mesures pour que toutes les communes deviennent propriétaires de salles de spectacles.

TOURNÉES. — *Les Directeurs qui ne seront pas personnellement à la tête de leurs tournées, ceux qui ne soigneront ni la composition de leur troupe, ni leurs représentations, ceux qui feront un scandaleux trafic des permissions qu'ils ont obtenues, ceux enfin qui ne rempliront pas exactement les obligations qui leur sont imposées, seront dans le cas d'être aussitôt destitués et remplacés.*

CIRCULATION. — *A la sortie du spectacle, les voitures qui auront attendu ne pourront se mettre en mouvement que quand la première foule se sera écoulée. Les voitures de place ne pourront charger qu'après le défilé des autres voitures.*

CONSERVATOIRE. — *Les élèves ne pourront être admis qu'après la révolution physique dite mue de la voix.*

Indépendamment des professeurs, il y aura pour l'art dramatique deux répétiteurs d'un genre différent, lesquels feront répéter et travailler les élèves chaque jour, dans l'intervalle des classes, à des heures qui seront fixées.

Les élèves qui ne donneraient pas d'espérance ne continueront pas leurs cours et ils seront remplacés.

LA COMÉDIE-FRANÇAISE, LUXE DE LA NATION. — *Le Théâtre Français doit être soutenu, parce qu'il fait partie de la Gloire Nationale. On devrait réduire, le dimanche, à vingt sous les places de parterre, afin que le peuple puisse en jouir.* ON NE DOIT PAS SE RÉGLER SUR CE QUI A EXISTÉ PRÉCÉDEMMENT, COMME S'IL ÉTAIT IMPOSSIBLE DE FAIRE MIEUX ».

Je ne voudrais pas pousser plus loin la supercherie.

Ces textes ont été établis et publiés il y a un peu plus d'un siècle. Ils ne sont pas de moi, mais de Napoléon Bonaparte, Premier Consul et Empereur des Français.

Achevé d'imprimer
le 25 Mars 1952
par l'imprimerie
LAUNAY - Illiers
(E.-&-L.)

Dépôt légal 1er trimestre 1952 No 162